監修 京都国立博物館

トラりんと学ぶ 日本の美術③ 暮らしの意匠

淡交社

はじめに

京都国立博物館（通称：京博《きょうはく》）のＰＲ大使・トラりんは、江戸時代の絵師・尾形光琳《おがたこうりん》（１６５８〜１７１６）によって水墨画で描かれた「竹虎図《たけとらず》」（京都国立博物館蔵）から誕生しました！ 好奇心旺盛《こうきしんおうせい》なトラりんは、京博の魅力を発信するために今日も日本の美術を学びます。

「竹虎図」
尾形光琳筆
江戸時代（18世紀）
縦28.0㎝　横38.7㎝

4巻シリーズの『トラりんと学ぶ日本の美術』第3巻のテーマは「暮らしの意匠」。縄文《じょうもん》・弥生《やよい》時代の土器・銅器にみる日本人のデザイン意識の萌芽《ほうが》から、絵巻に描かれた暮らしの意匠、蒔絵や陶磁器など人びとの暮らしを彩《いろど》った工芸作品に施《ほどこ》されたデザイン、人びとを装《よそお》ったファッションなど、日本人の暮らしに息づく、華やかで色鮮やかな意匠の楽しみ方を、トラりんといっしょに研究員たちに教えてもらいましょう。

また巻末では、京博での文化財の展示や保存、修理に利用されている科学分析について特集します。文化財を守るための取り組みを知ることで、作品をみるときの心がまえが変わってくるかもしれません。

さぁ、トラりんといっしょに、日本の美術を学びに行きましょう!

目次

装丁・デザイン／三上照正（キャスト・アンド・ディレクションズ）

所蔵先を表記していない作品は全て
京都国立博物館の所蔵品です。

1章

原始・古代の土器と青銅器

デザインが発達したのは「暇」だったから?!

トラりん（以下 ）　こんにちリン！
トラりんだリン！
ボクは京都国立博物館のPR大使として、京都国立博物館と文化財の魅力を伝えるためにがんばっているリン☆
そのために、京都国立博物館にあるたくさんの美術作品について学んでいるところなんだ！

古谷《ふるや》研究員（以下 古谷）　やあ、トラりん。元気にしてるかい。

古谷研究員、こんにちリン☆　今日も元気いっぱいだリン！　2巻では祭祀遺物《さいしいぶつ》について教えてくれてありがとリン♪　とっても楽しかったリン♪

古谷　それは良かった。トラりんは勉強熱心だから教え甲斐があるね。今日もいっしょに

勉強しようか？

よろしくリン♪　古谷研究員はとても古い時代を研究しているんだよね！

古谷　そうだよ。考古《こうこ》と呼ばれる分野だね。考古でトラりんが興味がありそうなものと言えば、これはどうかな。

芸術的なかたちだリン！　花びんかなあ？

古谷　これは縄文土器《じょうもんどき》把手《とって》状《じょう》装飾《そうしょく》付《つき》深鉢《ふかばち》（10ページ）といってね、煮炊《にた》きなどの調理に使われたものなんだ。いわゆるお鍋《なべ》だね。

ええ!!　お鍋?!

古谷　そうなんだ。実際には使いにくいと思うけれど、それよりも、いかに飾るかということに意識が向いているんだね。

縄文土器っていうと火焔型《かえんがた》土器が有名だね。鶏頭冠突起《けいとうかんとっき》と呼ばれる鶏《にわとり》の頭の鶏冠《とさか》のような突起に代表されるように、器の形と文様にすごく強い個性があるんだ。

火焔型土器は「国宝」展で見たリン♪

古谷　火焔型土器に限らず縄文土器の多くは装飾性が非常に高いんだよ。

とってもかっこいいリン！　有名な芸術家が作ったのかな？

古谷　いや、この土器を作ったのは有名な岡本太郎さんみたいな芸術家ではなくて、普通の女性だと考えられているんだよ。今で言えば主婦かな。

なんと!!

古谷　当時はコンビニやスーパーもないし、3Dプリンターがあるわけでもないので、自分で使う道具は自分で作るというのが基本。当時は煮炊きは女性が担った役割だったから、煮炊き用の土器も女性が作ったんだね。

縄文時代は1万年ほど続いたけれど、火焔型土器のような一つの様式（スタイル）は500年間ほど続いたと考えられているんだ。

縄文時代のお
鍋はカッコいい
リン！

平和な時代だか
らこそ生まれた
装飾性だね。

縄文土器 把手状装飾付深鉢　出土地不詳
縄文時代中期（紀元前3000～2000年頃）
高46.6cm

土器・青銅器

縄文土器把手状装飾付深鉢《じょうもんどきとってじょうそうしょくつきふかばち》

500年も同じものを作っていたの？

古谷　当時のひとの平均寿命はおよそ40歳前後と考えられるから、20世代くらいになるね。その20の各世代が一つずつデザインを追加していくことで、こんなにも装飾性の高いものが完成したんだ。ところが中国やヨーロッパではこれほど複雑なものは作られていないけれど、それはなぜだと思う？

うーん、日本人のセンスを信じたいリン！

古谷　それはね、縄文人が暇《ひま》（?）だったから。

え？

古谷　中国やヨーロッパでは民族の争いや交替が絶《た》えなかった。ある程度まで装飾性を高めていっても、外敵に襲われてしまうとその技術やデザインの担い手が失われてしまう。だけど、平穏《へいおん》な日常が続いていたら、好きなことに専念《せんねん》できるよね。要するに「暇」というのは時間がたっぷりあったということ。

なるほど！　良い意味で「暇」だったんだね☆

古谷　縄文時代が平穏な生活だったからこそ、突き詰められたものづくりの姿勢が生まれ、日本人のＤＮＡに深く刻まれたんだろうね。

流行したデザインがあった

古谷　火焔型土器のように派手で造形的なデザインが特徴の縄文時代と違って、次の弥生《やよい》時代は、とくに前半は造形的にはシンプルなんだ。この弥生土器細頸壺《ほそくびつぼ》は中期に作られたものだけど、さっきの縄文土器の深鉢と違ってすっきりしてるだろう。

正反対の印象だリン！

古谷　でもね、後期になると、東日本を中心に棒やボタンみたいなものを付けてみたりしてどんどん装飾していくんだよ。しかも鮮やかな彩色もする（16ページ）。形状も地方ごとにさまざまなものが生み出されていくしね。

なんだか現代にも通じるような話だリン☆

古谷　流行のデザインもあったんだ。例えばこの細頸壺の胴に櫛《くし》で描いたような文様は縦型《たてがた》流水文《りゅうすいもん》というけれど、流水文は近畿地方で流行したデザインの一つだね。土器だけじゃなくて、祭祀道具として用いられた銅鐸《どうたく》（19ページ）などにも描かれているからかなり流行したんだろうね。

気に入ったデザインで身のまわりを飾りたいという気持ちは、むかしのひとも同じだったんだね☆

古谷　そうだね。それに、具体的な絵よりも抽象《ちゅうしょう》的な、もっといえばマンガのキャラクターみたいにデフォルメした絵が好きなところもよく似ているね。

2巻で銅鏡のお話を聞かせてもらったときに言っていたよね！　中国の鏡を写してい

弥生土器細頸壺《やよいどきほそくびつぼ》

流水文は弥生
時代に流行し
たデザイン。

弥生土器 細頸壺　大阪府柏原市・船橋遺跡出土
弥生時代中期（紀元前2～1世紀）
高27.0cm

装飾付須恵器《そうしょくつきすえき》

装飾付須恵器
兵庫県たつの市・日山 西宮山古墳出土　古墳時代（6世紀）
高37.5cm

るのに、文様は適当に描いているって☆

古谷　かんたんに言えば手抜きなんだけれど、日本列島は自然が豊かで、動植物が身近に豊富だったからこそ、そういったものを写実的に日々の生活で使う土器に描く必要が無かったのかもしれないね。銅鐸なんかだと人や四足の獣《けもの》、鳥、スッポンなんかを描いたものもあるけれど、一筆書みたいなかんたんな絵だね。しかも長方形などに区切ったスペースに一〜三つずつね。

きちんと考えてデザインされているってことだリン☆

日本人の「こだわり」は縄文時代から

古谷　縄文土器や弥生土器は一見すると素《そ》朴《ぼく》に感じられるけれど、決して稚拙《ちせつ》というわけではないんだ。現代とはちがって便利な道具や質の良い素材に恵まれていない時代に、これだけ完成度が高いものを作り上げているのには感心するばかりだね。

また、次の古墳時代になると人物や動物の装飾が付けられた須恵器《すえき》も作られるようになるんだ。

ひとや動物のようなものが付いているリン！

古谷　向かい合っている二人の人物は相撲《すもう》をとっている場面で、動物は鹿だね。装飾から当時の人びとの暮らしの様子が想像できるね。5世紀頃からは轆轤《ろくろ》のようなものが使われ始めて、朝鮮半島から最先端の技術が伝わってくる。その新しい技術でも自分が満足するものを生み出そうとした古代の人びとのすがたは現在の日本人のすがたにも重なるね。

良いものを作ろうとする「こだわり」の心が、縄文時代から現在までつながっているって何だかロマンがあるね☆　古谷研究員、お話を聞かせてくれてありがとリン♪

Q1 縄文土器と弥生土器ってどんなもの?

「縄文土器」は縄文時代、「弥生土器」は弥生時代に作られ、用いられた土器です。

「縄文」の名称は縄目文様に由来しますが縄文土器の全てに縄目文様が施されているわけではありません。装飾的な文様なども多彩で、大きさや器の形、調理や貯蔵、祭祀用など用途もさまざまです。

「弥生」の名称は東京都文京区弥生町で遺跡が発見されたことに由来します。縄文土器にくらべて明るい色調で褐色、薄くて固いのが特徴です。壺や甕《かめ》、高坏《たかつき》のほかに、鉢形などがあり、調理や保存、お供《そな》え用に用いられました。縄目のほか、刻《きざみ》目《め》や櫛描《くしがき》文様が施されたものもあります。

日本人は昔から色彩感覚にも優れていたんだ。

弥生土器 壺　出土地不詳　弥生時代(3世紀)　高42.9cm

Q2 銅鐸って何に使われたの？

銅鐸《どうたく》は弥生時代に作られた青銅器です。「鐸」とは中国で用いられた柄《え》が付いた青銅製の楽器のことです。この「鐸」に形状が似ているため古代の文献にも「宝鐸・銅鐸」と呼ばれて登場しています。用途については諸説ありますが、現在、最も有力な説は農耕祭祀の祭器として使用されたという説です。

様々な文様がありますが、中でも「袈裟《けさ》襷《だすき》文」と「流水文」の二種類が大部分を占めます。「袈裟襷文」は格子状に区切られた幾何学的な区画文様で、鹿狩りの様子や高床式倉庫、水鳥やスッポンなどの絵が描かれている例もあり、当時すでに「画面」の概念が生まれていたことが窺《うかが》えます。

袈裟襷文銅鐸　和歌山市・紀伊橘谷遺跡出土
弥生時代（紀元前Ｉ世紀）　高46.5cm

縄文土器《じょうもんどき》深鉢《ふかばち》

縄文時代前期に作られた、小型の深鉢形土器。形態や文様から青森・岩手・秋田あたりで製作されたと推測される。口縁《こうえん》部に楕円《だえん》形の透かし孔《あな》がある四つの突起が付き、形態に変化を与えている。口縁と胴部の上半分には刻みを入れた隆帯《りゅうたい》を地紋の縄文の上にめぐらしている。

縄文土器 深鉢　出土地不詳　縄文時代前期（紀元前4000～3000年）
高16.0cm

流水文銅鐸《りゅうすいもんどうたく》

銅鐸は弥生時代に近畿を中心とする地方で、最も重要な祭器として使われた青銅器。この銅鐸は扁平紐式《へんぺいちょうしき》と呼ばれる形式で、鐸身の部分には複数の線が直行と反転を繰り返し、あたかも流れる水のようにも見える文様が描かれている。

流水文銅鐸　京都府与謝郡与謝野町明石出土　弥生時代中期(紀元前1世紀頃)　高46.1cm

トラりんの絵日記

9月7日（月）天気

3巻目のテーマは「暮らしの意匠」！　日々の暮らしで使われるものに描かれたデザインについて学んだリン♪

古谷研究員には土器や青銅器のお話を聞かせてもらったよ☆　日本人は縄文時代からデザインに関心があったなんて、すてきだリン！　あんなに複雑なデザインの土器を手仕事で作っていたことを知って、感動しちゃった☆

装飾的な土器が作られたのは暇だったから、という古谷研究員のことばには驚いたリン！

2章 記録された絵

記録することも
絵巻の役割

はぁ～♪　古谷研究員のお話も面白かったリン☆　日本人は、縄文時代からデザインに関心があったんだね！

井並研究員（以下 井並）　やあ、トラりん。なんだか楽しそうだね。

井並研究員☆　さっきね、古谷研究員から、日本人は縄文《じょうもん》時代から身のまわりのものに絵や文様を描いていたって教えてもらったリン♪

井並　そうだね。土器や銅鏡などにはさまざまな文様が施されているね。現在につながるデザインへの意識が縄文時代からあったなんて、なんだかロマンがあるね。

そうだ、トラりん。僕の専門は絵画だけど、絵巻って知ってる？

絵が書いてある巻物のことでしょ♪　それくらいボクだって知っているリン！　エッヘン☆

井並　さすがトラりん、勉強してるね。「源《げん》氏《じ》物語《ものがたり》絵巻」「伴大納言《ばんだいなごん》絵巻」「信貴山縁起《しぎさんえんぎ》絵巻」「鳥獣人物戯画《ちょうじゅうじんぶつぎが》」などが有名で、京博でもいくつか収蔵しているんだよ。

いろいろなものが描かれていて、とっても楽しいよね♪

井並　そうだね。仏教説話や寺社の縁起、物語文学をビジュアル的に楽しめるようにしたものや、当時の事件を記録するために描いたものなどバラエティが豊富だね。変わったものでいえば、「病草紙《やまいのそうし》」って知っているかな？

知らないリン！　教えて、教えてー☆

井並　「病草紙」はさまざまな奇病《きびょう》を集めて絵巻物に仕立てたものなんだ。

キビョウ？　病気のこと？

井並　歯槽膿漏《しそうのうろう》や肥満《ひまん》、幻覚《げんかく》、口臭《こうしゅう》、不眠《ふみん》

国宝「病草紙」口の臭い女　平安時代後期（12世紀後半）　縦25.9cm　長38.3cm

病草紙《やまいのそうし》

症《しょう》など、当時の人びとが病気に悩まされていた様子が描かれているんだ。病気に苦しむ人物という題材は少しびっくりするけれど、当時の生活の様子（風俗《ふうぞく》）を知ることができる貴重な史料なんだ。

どういうこと？

井並　この絵が描かれた当時の人びとの服装や室内の調度《ちょうど》がどのようなものだったのかを推測できるということだよ。「病草紙」が描かれたのは平安時代の末期だけど、その当時の衣服や調度は、現物としてほとんど伝わっていないんだ。何とか伝わっているものにしても、どのように使われていたかを知ることはとても難しい。

何百年も前のことを知るのは、大変だよね！

井並　だから、当時の人びとの暮らしの様子を知るうえでも絵巻物は貴重なんだよ。「年中《ねんじゅう》行事絵巻《ぎょうじえまき》」という都の風景を描いた絵巻にもさまざまな年中行事や儀式、市中で行われている芸能などが詳細に描かれているんだ。もちろん、室内の飾りつけ（室礼《しつらい》）なども正確にね。

そういえば、大和絵《やまとえ》（1巻、1章）を教えてくれた福士研究員も、有職《ゆうそく》を描くときには正確に描こうとしていたって言っていたリン！

井並　宮廷《きゅうてい》や貴族に伝えられてきた決まりごとである有職を正確に描かなければならないのはもちろんだけれど、それ以外のものも同様の傾向《けいこう》があるんだよ。「病草紙」や「年中行事絵巻」は絵巻物が大好きだった後白河《ごしらかわ》院《いん》が描かせたものとされているけれど、非常に正確に当時の風俗を描いていて、自分の身のまわりのこと、つまり宮中や貴族社会のことばかりではなく、庶民にも目を向けて、市中で起きている事件やエピソードを収集し、記録しようという意識があったんだね。

そのおかげで、むかしのひとの暮らしがわかるんだね☆

公家列影図《くげれつえいず》

リアルに描く

井並　後白河院の時代の頃から、彼が描かせた絵巻のように、現実をより正確に描こうとする風潮が強まったようなんだ。「似絵《にせえ》」と呼ばれる肖像画《しょうぞうが》もその流れから生まれたものだよ。似絵は、細線をひき重ねてスケッチのように写された人物の相貌《そうぼう》のことなんだけれど、例えば「公家列影図」に描かれた公卿《くぎょう》たち

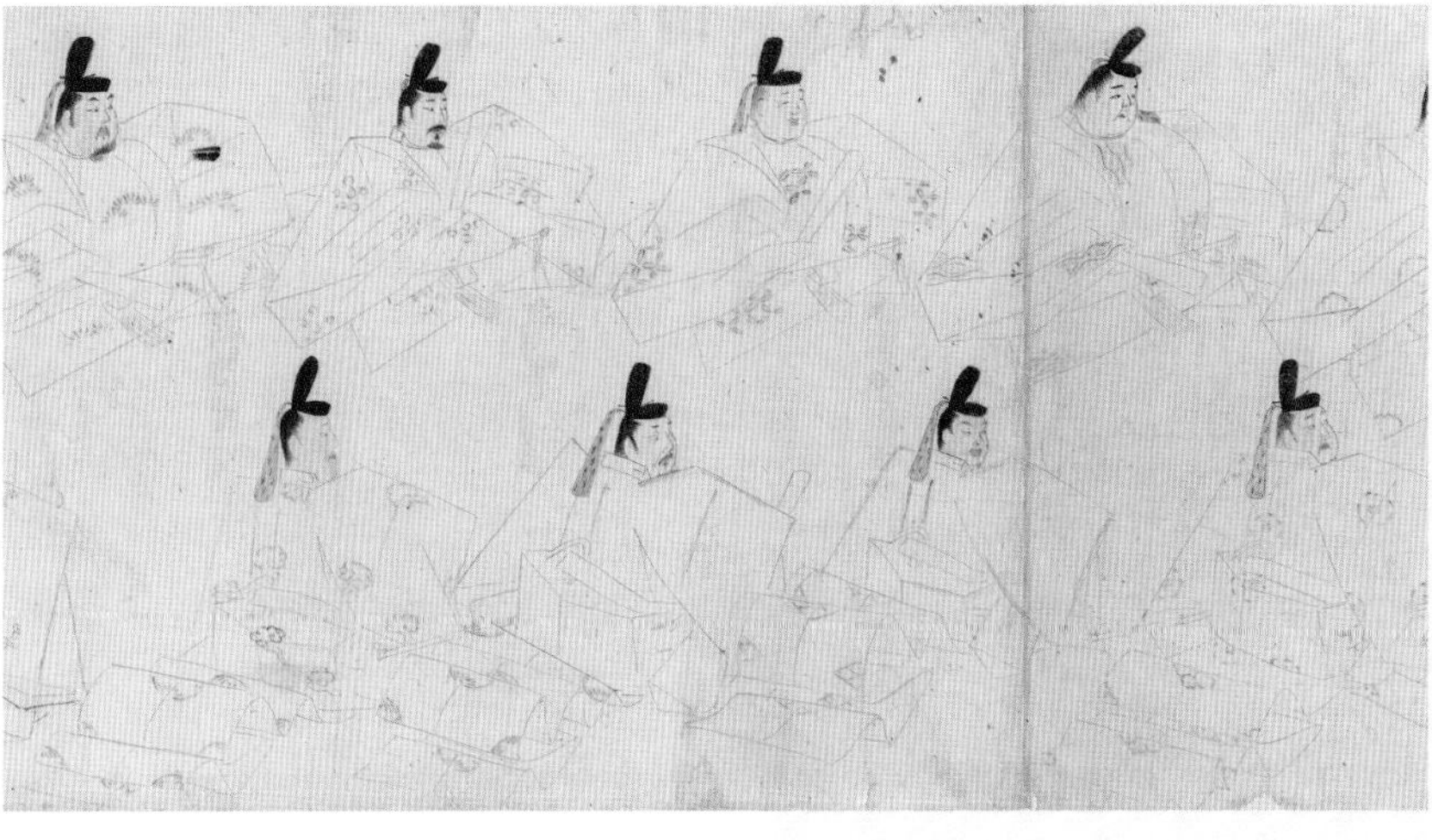

重文「公家列影図」（部分）　鎌倉時代（13世紀）
縦36.8cm　長522.5cm

はその技法で描かれているね。

それぞれ個性があって、見ていて楽しいリン♪

井並　摂関《せっかん》大臣など57人の公卿が描かれているんだけれど、それぞれの外見がやや誇張されながら描かれているんだ。写真が無い時代だから、それぞれの人物の見た目を伝えるために工夫しているんだろうね。
ところで、トラりん、この絵を見て何か変だと思わない？

うーん、同じ場所にこんなにたくさん人がいること？

井並　公卿たちが着ている服を見てみて。束《そく》帯《たい》に蕪《かぶ》や大根などが描かれているでしょ。

野菜のカブやダイコン？　面白い文様だリン……。

井並　蕪も大根も有職文様には無い文様だから遊び心で描かれたんじゃないかな。つまり、この絵は正式なものではなく似絵の手控《てびか》えとして作られたんだろうね。

藤原頼長

平清盛

時の流れを描く

井並　「公家列影図」は肖像画を集めた絵巻だけど、ストーリーを描いた絵巻においても、その場面の主役となる人物だけではなく、モブ（群集）一人ひとりまで丁寧に描かれていることが多いんだ。表情もちがえば、着ている着物の絵柄や着方までちがっていて、見ていて面白いよ。

大勢の人びとを描いているという点では、「桑実寺《くわのみでら》縁起絵巻」も面白いよ。桑実寺というのは、滋賀県の湖東《ことう》にある薬師霊場《やくしれいじょう》のこと。このお寺は、琵琶湖《びわこ》に薬師如来《にょらい》が出現し、その光明《こうみょう》によって病身の阿閇皇女《あべのひめみこ》が治癒《ちゆ》し、続いて如来が湖岸に上がり桑実山に移ったことから天智《てんじ》天皇と僧定恵《じょうえ》によって建立《こんりゅう》されたんだ。

その桑実寺のおはなしが描かれているの？

重文「桑実寺縁起絵巻」　室町時代・天文元年（1532）　土佐光茂絵　2巻　巻上：縦35.2cm　横1367.3cm　桑実寺蔵

桑実寺縁起絵巻《くわのみでらえんぎえまき》

井並　そのとおり。特に、琵琶湖に薬師如来が出現したシーンでは老若男女、多くの人びとが描かれているんだよ。定恵をはじめとする僧侶たちや法要の参列者、舞楽《ぶがく》に関わる人びとや浜辺で薬師如来の出現に驚く人びとなど、それぞれの表情や仕草に加え、着ている服装も緻密《ちみつ》に描き分けているよ。こうしたところからも、むかしの人びとの様子が伝わってくるね。
それと、「病草紙」や「公家列影図」とちがってこの絵巻には時の流れが描かれているんだ。

時の流れ?!　興味深いリン！

井並　皇女が病に罹《かか》るところから薬師如来

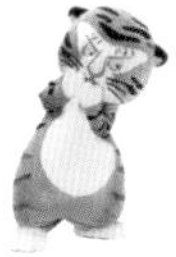

の出現、桑実寺の建立へと続く縁起が順番にストーリーとして描かれているということだよ。現代のマンガや映画のように、物語を視覚的に読み進められることが絵巻の魅力なんだ。

ううう……!
とってもすてきだリン!

井並　それと、下巻の第一段、薬師如来を乗せた馬が繖山《きぬがさやま》近隣の田圃《でんぽ》を進んでいく場面は、パノラマのように俯瞰《ふかん》描写された田圃が横長の画面に展開して、観る人は薬師如来の移動とともに絵巻を開きながら視線を動かすことになる。こうした表現こそ絵巻ならではのものだね。

右から左へ視線を動かしながら楽しんでね。

「桑実寺縁起絵巻」巻上　「薬師如来出現」場面

絵巻は面白い！

記録だったりストーリーだったり、いろいろな内容を描くことができるのが絵巻なんだね！

井並　巻物という形態は中国から輸入されたものだけど、中国で巻物に描かれたのは主に山水画《さんすいが》や花鳥画《かちょうが》で、物語は比較的少なかったみたいなんだ。もっとも古い絵巻ともいわれる、釈迦《しゃか》の一生を描いた「絵因果経《えいんがきょう》」はもともと中国で作られたものを日本で写したと考えられているけど、ストーリーの表現方法はまだまだ単純。そこから時の流れの表現方法をさまざまに発達させた日本のような展開は、中国ではみられなかった。

どうしてだろう？

井並　はっきりとはわからないけれど、巻《かん》子《す》というものは、そもそも経典や史書など確

「桑実寺縁起絵巻」巻下　「薬師如来を乗せた白馬が田園の上を飛ぶ場面」

かな文字の情報を後世に伝え残していくためのもので、格が高いと考えられていたからかもしれない。ただ、格が高いとされたのは日本でも同じで、寺社の縁起が描かれ奉納されたものが多いのもそのような理由からだろうね。もしかしたら、「正確に記録する」という考えも同じところに由来するのかもしれないよ。

きれいな絵が描かれていて面白いなあって思ってばかりいたけど、いろいろなことが読み取れるんだね！　これから、もっと絵巻を楽しむことができそうだリン♪井並研究員、ありがとリン♪

Q1 絵巻ってどんなもの?

絵巻とは、紙や絹《きぬ》・麻《あさ》などを水平方向に繋《つな》いだ、横に長い画面に、情景や物語を連続して描いたものです。一般的には筋書きなどを記した詞書《ことばがき》のあと、それに対応する絵が続きます。

巻物は冊子状の本とは違って、好きな部分をぱっと開いたりすることが出来ないという不便な面もあります。しかし、ページごとに分かれていないため、途切れることなく横に連続して画面が続けられるという大きな特性が備《そな》わっています。

奈良時代に描かれた「絵因果経」が現存する最古の絵巻とされ、平安時代から江戸時代にかけて盛んに制作されました。

『伊勢物語』『源氏物語』などの物語を描いたものや、寺社の縁起や高僧の伝記を描いたもの、戦記を描いたものが多いです。

「伊勢物語絵巻」巻上（部分）　江戸時代　縦31.5cm　横2430.0cm

『伊勢物語』の有名な場面が描かれているよ。

Q2

絵巻特有の描き方があるの？

横に長く、縦が狭いという画面形式の特徴があるため、室内の場面を描く場合にその様子がよく分かるように建物の屋根や天井を描かない「吹抜屋台《ふきぬきやたい》」と呼ばれる表現技法が生まれました（1巻　1章「都の絵画」参照）。この技法は、絵巻に限らず、画帖《がちょう》などにも用いられています。

横長の画面をスクロールさせることで物語が展開する構図を「連続式構図」、スクロールさせなくても全体が見渡せる程度の大きさの画面に物語の一場面を描く構図を「段落式構図」と呼びます。特に「連続式構図」は絵巻の特性を充分に生かした手法と言えるでしょう。

「連続式構図」の場合、「異時同図法《いじどうずほう》」という、同じ画面内に同一人物が複数回登場する手法も用いられます。こうした手法を用いることで、ストーリー展開に緩急《かんきゅう》をつけたり、驚きをもたらしたりして、観る者を楽しませてくれます。

「吹抜屋台」は室内の場面を描くときに使われる技法。

「鶴の草紙」（部分）　室町時代
縦17.3cm　横1014.0cm

餓鬼草紙《がきぞうし》

六道《ろくどう》（仏教で説かれる六つの苦しみの世界）の一つで、飢《う》えや渇《かわ》きにさいなまれる餓鬼道に堕《お》ちた者たちを描く絵巻。詞、絵ともに七段からなる。第二段では市中のにぎやかな様子を描き、生き生きとすぐれた出来栄えを示すが、その中に紛《まぎ》れて水を求める餓鬼の姿は生々しく迫力がある。戦乱の世における社会不安や、現実からの救済《きゅうさい》を求める浄土《じょうど》信仰が背景にあるとされ、「病草紙」とともに後白河院が制作させた六道絵の一部とも考えられている。

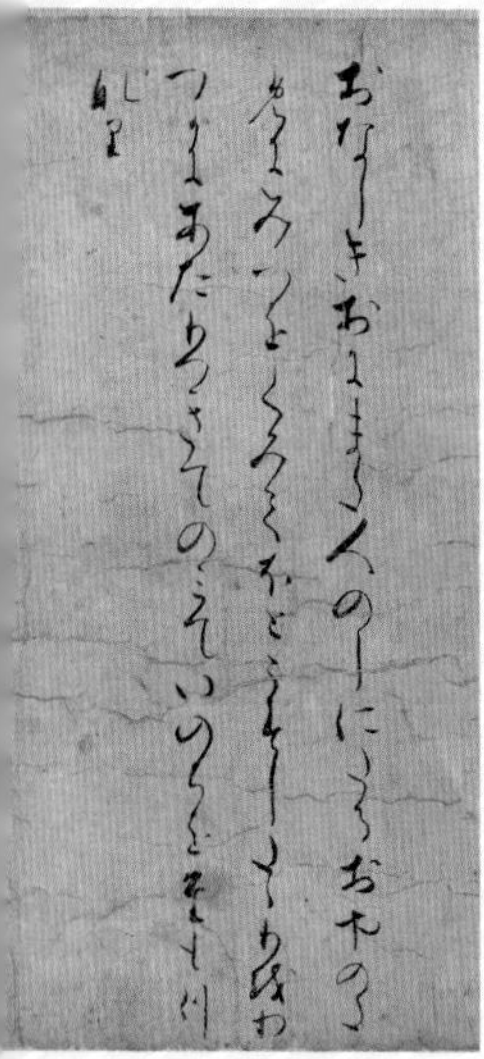

重文「釈迦堂縁起絵巻」巻三（部分）　清凉寺蔵　室町時代（16世紀）　伝狩野元信筆　六巻　縦35.3㎝　横1456.7㎝

国宝「餓鬼草紙」第二段　平安時代後期（12世紀後半）　縦26.8cm　横538.4cm

釈迦堂縁起絵巻《しゃかどうえんぎえまき》

三国伝来の瑞像として名高い清凉寺《せいりょうじ》（嵯峨釈迦堂《さがしゃかどう》）の本尊釈迦如来像の安置の由来とその霊験《れいげん》を描いた絵巻。描いたのは狩野《かのう》派の二代元信と伝えられ、水墨画由来の筆法や緊密な構図法から認められる。本作は、元信が大和絵《やまとえ》の領域でも上質な仕事を成し得た証として、狩野派の歴史において記念碑的な名品といえる。中世から近世への絵巻の展開を語るうえでも欠かせない重要作品。

トラりんの絵日記

9月14日（月）天気

古い時代に使われた道具や服装は、ほとんど残っていないけど、絵巻を見たら、当時の人たちがどんな生活をしていたのかがわかる、って井並研究員が教えてくれたリン♪

絵巻には、「記録する」という役割もあることがわかったよ！　１枚の紙の中で物語が進んでいく様子や、作品の見方を知って、ますます絵巻が好きになったリン☆

いろんな絵巻があるみたいだから、他にもたくさん見てみたいな♪

3章

蒔絵のデザイン

「教養の象徴」としての蒔絵

絵巻からは、人びとの暮らし以外も知ることができて面白かったリン♪　あ、そこにいるのは永島研究員☆

永島研究員（以下 永島）　トラりんひさしぶり！　今回も頑張ってる？

もちろんだリン！　永島研究員のお話も聞かせてほしいリン♪　2巻では神さまのために豪華《ごうか》な箱を用意していたって学んだけど、あのキラキラした装飾《そうしょく》についてもっと知りたいリン！

永島　「蒔絵《まきえ》」という漆《うるし》を使った表現のことだね。じゃあ、今回は蒔絵についてお話しようか。蒔絵は、まず漆で模様を描いて、それが固まらないうちに上から金や銀などの金属粉を蒔《ま》くの。

そうなの?!　こんなに細かく描かれている

塩山蒔絵硯箱《しおのやままきえすずりばこ》

重文　塩山蒔絵硯箱
室町時代(15世紀)
縦25.7cm　横23.8cm　高4.8cm

なんて、すごいリン！

永島　そうでしょう。蒔絵にはいくつもの表現技法があってね、作品を見てみると時代によって流行《りゅうこう》したデザインが異《こと》なることもわかるんだよ。

へえ、じゃあこのきれいな箱は神さまのための〝デザイン〟ってこと？

永島　この「塩山《しおのやま》蒔《まき》絵《え》硯箱《すずりばこ》」は神さまのための箱ではなくて、人間が実際に使う道具なんだよ。字を書くための筆や墨《すみ》、硯《すずり》などを納《おさ》める箱でね、室町時代に作られたんだ。武士や貴族たちが自分たちの持ち物をきれいに飾《かざ》ると同時に、教養《きょうよう》の高さをあらわす象徴《しょうちょう》ともするために蒔絵をするようになったんだよ。

教養？　鳥や波が描いてあるみたいだけど、どこを見たらわかるのかなぁ？

永島　まず、この硯箱には『古今《こきん》和《わ》歌集《かしゅう》』に載《の》っている「しほの山　さしでの磯《いそ》に住む千鳥、きみがみ世をば　やちよとぞなく」という有名な和歌が描かれているよ。

塩山蒔絵硯箱（蓋表）

蓋《ふた》の表面（40ページ）には、銀色で「志本能《しほの》山散新亭《やまさしで》」という漢字が散りばめられているのがわかるかな？　よーく見ると凹凸《おうとつ》があって浮《う》き上がっているようにも見えるはず。同様に、蓋の裏面（43ページ）には「君加見代《きみがみよ》遠盤《をば》」、側面の四面に「八千世登曽《やちよとぞ》」と描いてあるよ。

本当だリン!!　文字が絵に溶《と》け込《こ》んでいる……！　あれ？　でも、和歌の「の磯に住む千鳥」と最後の「なく」がないリン。書き忘れちゃったのかな？

永島　さすがトラりん、目のつけどころが鋭《するど》い！　忘れたわけではなくて、あえて書いていないのよ。ここが教養の象徴と例えられるポイントなの。

どういうこと?!

永島　蓋の表、裏、側面のどの面にも磯にいるたくさんの千鳥が騒《さわ》がしく集まって、ちよちよと鳴いている。つまり、「の磯に住む千鳥」と「なく」と読み解《と》くことができるというわけ。「有名な和歌だし、見れば意味がわかるでしょう？」という意図が見えるね。わかる人同士《どうし》が楽しめる、何とも高貴《こうき》な表現だよね。これは漆工芸の「葦手絵《あしでえ》」という手法で文字と絵を組み合わせて文学作品の世界観をあらわす方法のひとつなんだよ。

そういうことかぁ。最初は文字が描かれていることにも気づけなかったけど、鑑賞《かんしょう》するポイントがわかったリン♪　でも、どうして硯箱に和歌を描いたの？

永島　和歌は文字で書きとめられていてその時に使う硯と筆を納める箱だからかな？　和歌は鎌倉時代までは現代文学だったけど、時代の経過《けいか》とともに古典文学という認識《にんしき》になっていったの。室町時代では「古い時代の和歌を知っているということ＝教養がある」とみなされたんだね。文学の美しさをデザインに取り入れるなんてすてきよね。

文学を蒔絵していたんだね☆

蒔絵の基本的な技法

永島　ところでトラりん、この塩山蒔絵硯箱にはさまざまな蒔絵技法が使われているんだけど、違いはわかるかな？

さまざまな技法？　う〜ん……凹凸があったり、ツブツブやツルっとしている部分があるのは、技法が違うということなの？

永島　その通り。ここでは蒔絵の基本的な技法のうち、「研出蒔絵《とぎだし》」「平《ひら》蒔絵」「高《たか》蒔絵」の三つを説明するね。

まず、「研出蒔絵」は漆を塗った平面と蒔絵した模様の高さが同じで、ツルっとした仕上がりになっているのが特徴。漆の上に金を蒔いただけならその部分だけが盛り上がるけど、全体に再び漆を塗ってから研ぎ出すことで凹凸がなくなっているのよ。

へえ〜！　漆の中に金粉が埋まっているんだね☆

永島　次は「平蒔絵」。漆塗りの平面に、平らに金を蒔いて模様を描く技法だよ。丁寧なときは、蒔いた金を留《と》めるために、上からもう一度漆を塗って磨くんだよ。「高蒔絵」は平蒔絵より立体的に見せる技法で、漆の上にさらに炭《すみ》の粉などを混ぜた漆をのせて高さを出して、それから金を蒔くんだよ。

なるほど☆　いろいろな技法があるから、描かれた場面に奥行きを感じられるんだね♪

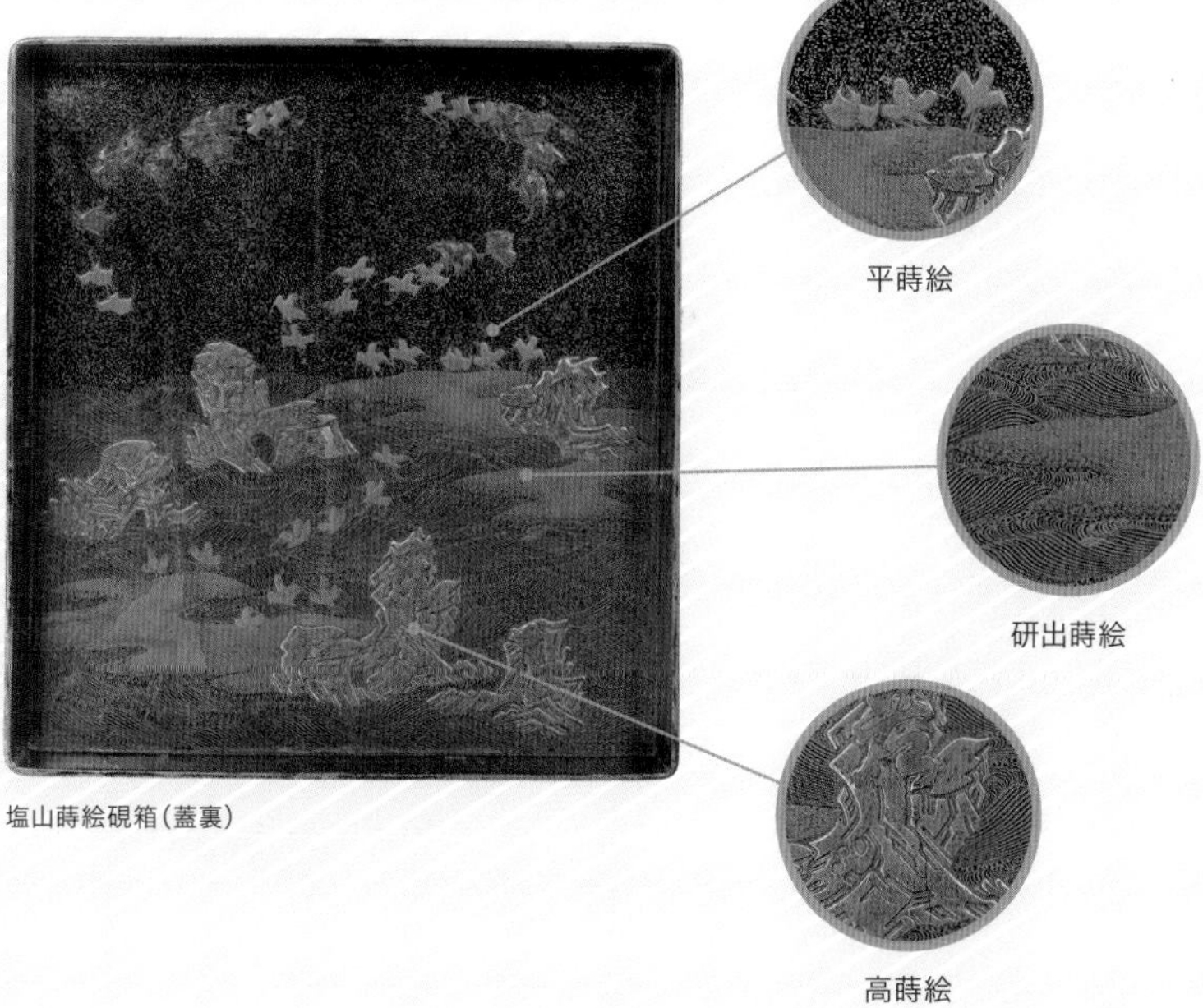

平蒔絵

研出蒔絵

高蒔絵

塩山蒔絵硯箱（蓋裏）

秋草菊桐紋蒔絵湯桶《あきくさきくきりもんまきえゆとう》

家紋を入れて自己アピール

永島　桃山時代になると、蒔絵の目的は教養の象徴よりも権力や財力の象徴という側面が強くなっていくよ。「自分にはこんなにも力があるんだぞ」とアピールするために武将たちは自分の権力と豊富な財力を使っていろいろなものを作らせたの。天下をとった豊臣《とよとみ》秀吉《ひでよし》がその先駆者と言えるよ。秀吉は後陽成《ごようぜい》

重文　秋草菊桐紋蒔絵湯桶　京都・高台寺蔵　桃山時代
高13.2cm　最大幅22.4cm

天皇から菊紋を賜《たまわ》ったといわれているんだけど、それがよほどうれしかったのか、調度品《ちょうどひん》に菊紋をどどーんと蒔絵しているものもあるんだ。秀吉が所有していたことで有名な品のひとつが「秋草菊桐紋蒔絵湯桶《あきくさきくきりもんまきえゆとう》」だよ。

室町時代と比べて、模様がはっきり見える気がするリン☆　これは……なんの植物かなぁ？

永島　秋草文様ね。それに、秀吉の家紋《かもん》である桐紋や菊紋も大きく描かれているの。黒地の漆面に蒔かれた金が文様を浮かび上がらせていて、このコントラストがすてきだよね。これは平蒔絵で作られた「高台寺蒔絵」と呼ばれる様式で、秋草文様も家紋も典型的なモチーフだよ。こうした自由で斬新《ざんしん》な発想と多彩で華やかな表現は、秀吉をはじめ多くの武将たちに好まれた桃山時代を代表する美術だよ。桃山時代以降もさまざまな文様で華やかに装飾された蒔絵の人気が続くんだ。

家紋って自分の名前みたいなものだよね☆　一目見て誰なのかがわかるリン！

永島　そうだね。さっき紹介したものは食器のひとつだけど、家紋というモチーフは他にも描かれることが多くて、中でもいろいろな時代のお金持ちが力を入れていたものとしては自分の子どもたちが結婚した時に持たせる婚礼《こんれい》調度があげられるよ。次の「三ツ寄銀杏紋蒔絵婚礼調度《みつよせいちょうもんまきえこんれいちょうど》」（46ページ）は明治時代の永田ノブという女性が嫁《とつ》いだ時のものでね、ノブの母方の女紋である三ツ寄銀杏紋が食器や化粧道具、楽器、文房具などすべてに蒔絵で施されているんだ。

本当だ！　すごくたくさんあるリン！　ノブさんのために想いを込めて用意したことがわかるリン♪

三ツ寄銀杏紋蒔絵婚礼調度《みつよせいちょうもんまきえこんれいちょうど》

家紋のアップ

三ツ寄銀杏紋蒔絵婚礼調度　明治30年(1897)頃

町の人に親しまれた蒔絵

だけど、こんなに豪華なセットは、なかなかそろえられないよね……。

永島　うん。庶民には難しいかもね。これは明治時代の大きな商家だったからできたこと。ちなみに、江戸時代にはいわゆる〝ぜいたく禁止令〟が出されて、豪華な蒔絵を使える身分が制限されたこともあったの。「金をふんだんに使った調度はお金も土地もある豊《ゆた》かな大名の人しか作っちゃいけません」ってことになったんだよね。そこで町の人は職人さんたちと相談して、技法やデザインを工夫して、金キラキンではなくてもかっこいい蒔絵を作ったんだよ。

すごいリン！　塩山蒔絵硯箱は細かな蒔絵で文学作品の世界を丁寧《ていねい》に説明するようなデザインだったけど、江戸時代の町の人はどんなデザインが好きだったの？

永島　そうだね、引きつづき貴族や武家にも用いられていた『源氏物語』などの有名な古典やおめでたい意味を持った吉祥紋《きっしょうもん》などが人気だったよ。ただ、もっと個々のモチーフを切り取って大胆にデザインされたものが増えたんだよね。あと、身のまわりの道具や草花、野菜や果物を見た目に楽しいように描いたりしたんだよ。「鉈豆《なたまめ》蒔《まき》絵《え》螺《ら》鈿《でん》重箱《じゅうばこ》」（48ページ）は四面に描かれた鉈豆が繋《つな》がっているように見えるのが面白いところね。キラキラした部分は貝の真珠《しんじゅ》層を切って貼る「螺鈿」という技法で、とてもみずみずしく仕上がっているよね。

シンプルだけど、鉈豆のいきいきとした表現が魅力的だリン！　みんな重箱を持っていたのかなぁ？

永島　ここまで立派なものは難しいかもしれないけど……。重箱でなくても、香合《こうごう》や櫛《くし》

鉈豆蒔絵螺鈿重箱《なたまめまきえらでんじゅうばこ》

鉈豆蒔絵螺鈿重箱　江戸時代
縦23.9cm　横21.9cm　高24.3cm

なんかは比較的、求めやすかったと思うな。ぜいたく品の一つや二つは持っていたいと思った人も多かったかもね。現代で例えると、高級ブランド品が欲しいと思った時、あまりお金がないから手の届く価格のアクセサリーや小物にする、といった感じかな。

美術品が作られた理由や、デザインの変化には、その時代がうつしだされているんだね☆

永島　そうだね。最後に、トラりんにぜひ見せたい作品があるの。江戸時代に作られたこの「槇鹿蒔絵螺鈿料紙箱《まきしかまきえらでんりょうしばこ》・硯箱」は、永田《ながた》友治《ゆうじ》という蒔絵師によるものだよ。トラりん、このデザインにどこか心当たりはない？

すごく豪華だし、構図も斬新だリン！　なんだか琳派《りんぱ》を感じる……。

永島　さすがトラりん！　どんどん〝見る目〟が養《やしな》われているね、その通りだよ。作者の永田友治は謎が多い人物なんだけど、作品

槙鹿蒔絵螺鈿料紙箱・硯箱《まきしかまきえらでんりょうしばこ・すずりばこ》

槙鹿蒔絵螺鈿料紙箱・硯箱
永田友治作　江戸時代
（料紙箱）縦41.2cm　横31.2cm　高14.1cm
（硯箱）縦24.8cm　横19.8cm　高5.2cm

を見れば光琳さんの作風を慕《した》っていたことがよくわかるね。例えば、影絵のような鹿は光琳さんが慕っていた俵《たわら》屋《や》宗達《そうたつ》の版画のデザインから取り入れたモチーフだよね。個々のモチーフを拡大して器物の表面に上手に配置してデザインしているね。そういう意味では、「鉈豆蒔絵螺鈿重箱」も琳派なんだよ。

親近感☆　永島研究員、今日もたくさんお話を聞かせてくれて、ありがとリン♪

永島　どういたしまして。漆器についてはまだまだ語りきれていないから、またこんどお話ししようね！

蒔絵でも琳派風のデザインがあったリン☆

Q 蒔絵にはどんな技法があるの？

蒔絵には43ページで解説した「研出蒔絵」「平蒔絵」「高蒔絵」のほかにもたくさんの技法があります。「塩山蒔絵硯箱（蓋裏）」「蓬莱山蒔絵硯箱《ほうらいさんまきえすずりばこ》（蓋表）」を例に、いくつかの技法を学びましょう。さまざまな表現技法を知っておくと、漆芸品の鑑賞がより楽しくなるはずです。

梨《なし》地《じ》…地の部分に金粉を蒔く技法のひとつ。漆面に金粉を蒔いて、その上から飴色《あめいろ》の漆を塗り重ねて、金粉が一番大きく見えるところまで研ぎます。金粉の大きさや蒔く密度はさまざまですが、仕上がりが梨の肌のように見えることから名づけられました。

描《かき》割《わり》…仕上がり時、線にしたい部分をさけて蒔絵する技法。接着剤となる漆が塗られていないところには金粉はつきません。

付《つけ》描《がき》…蒔絵が仕上がった面に絵漆《えうるし》で線をつけ足し、その上に細かい金粉を蒔きつける技法。

金《かな》貝《がい》…漆面に金・銀・錫《すず》などの金属の薄板を模様の形に切って貼りつけ、上から漆を塗って研ぎ出す技法。

切《きり》金《かね》…金属の薄《うす》い板を小さな正方形・長方形・菱《ひし》形・三角形などに切って漆面に並べて貼りつけ、上から漆を塗って研ぎ出す技法。樹木や岩の苔《こけ》、雲の影などの表現に用いられます。

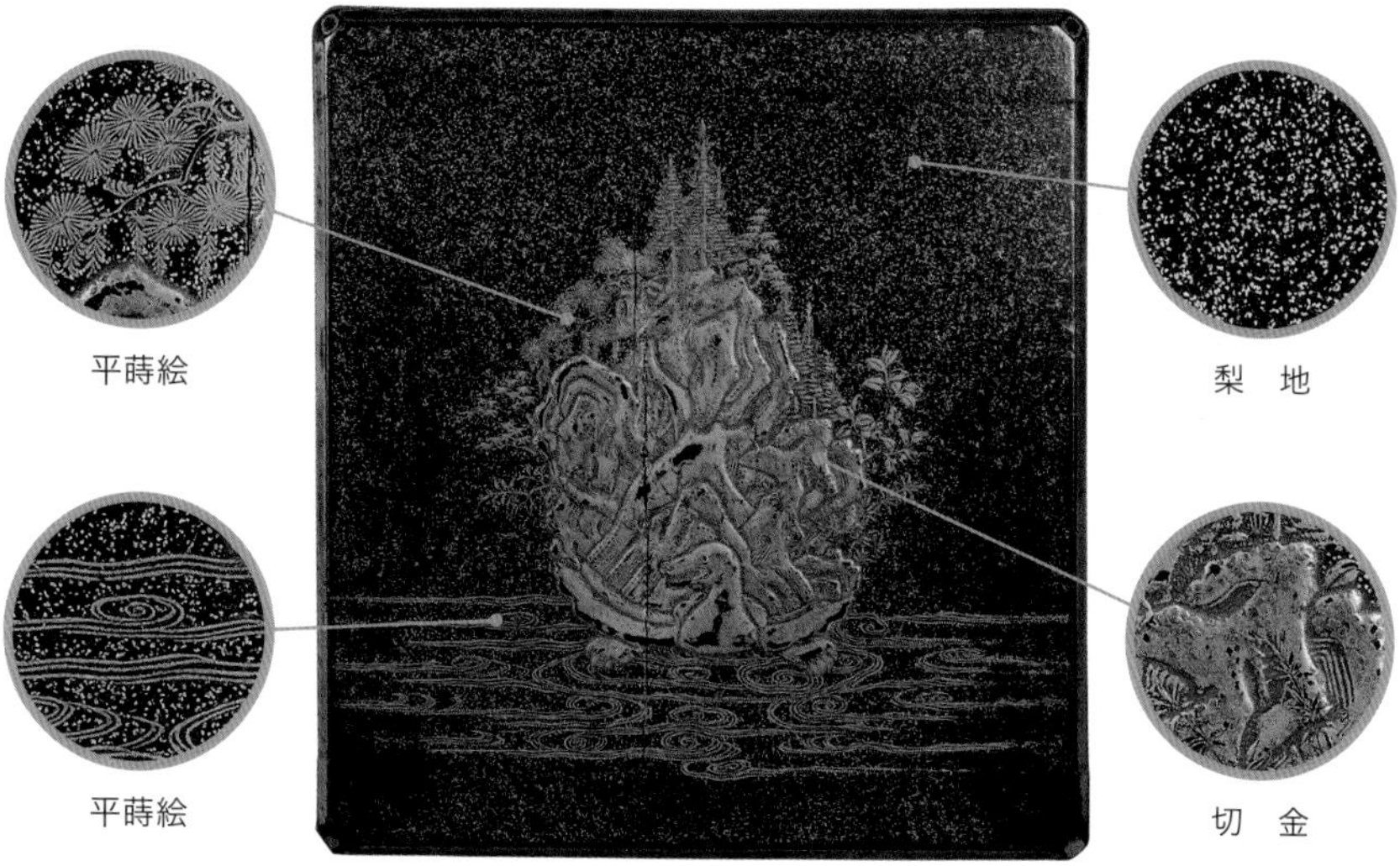

重文　蓬莱山蒔絵硯箱（蓋表）
室町時代（15世紀）
縦 23.2cm　横 21.6cm　高 4.8cm

金貝の上に付描　　高蒔絵　　金　貝

塩山蒔絵硯箱（蓋裏）

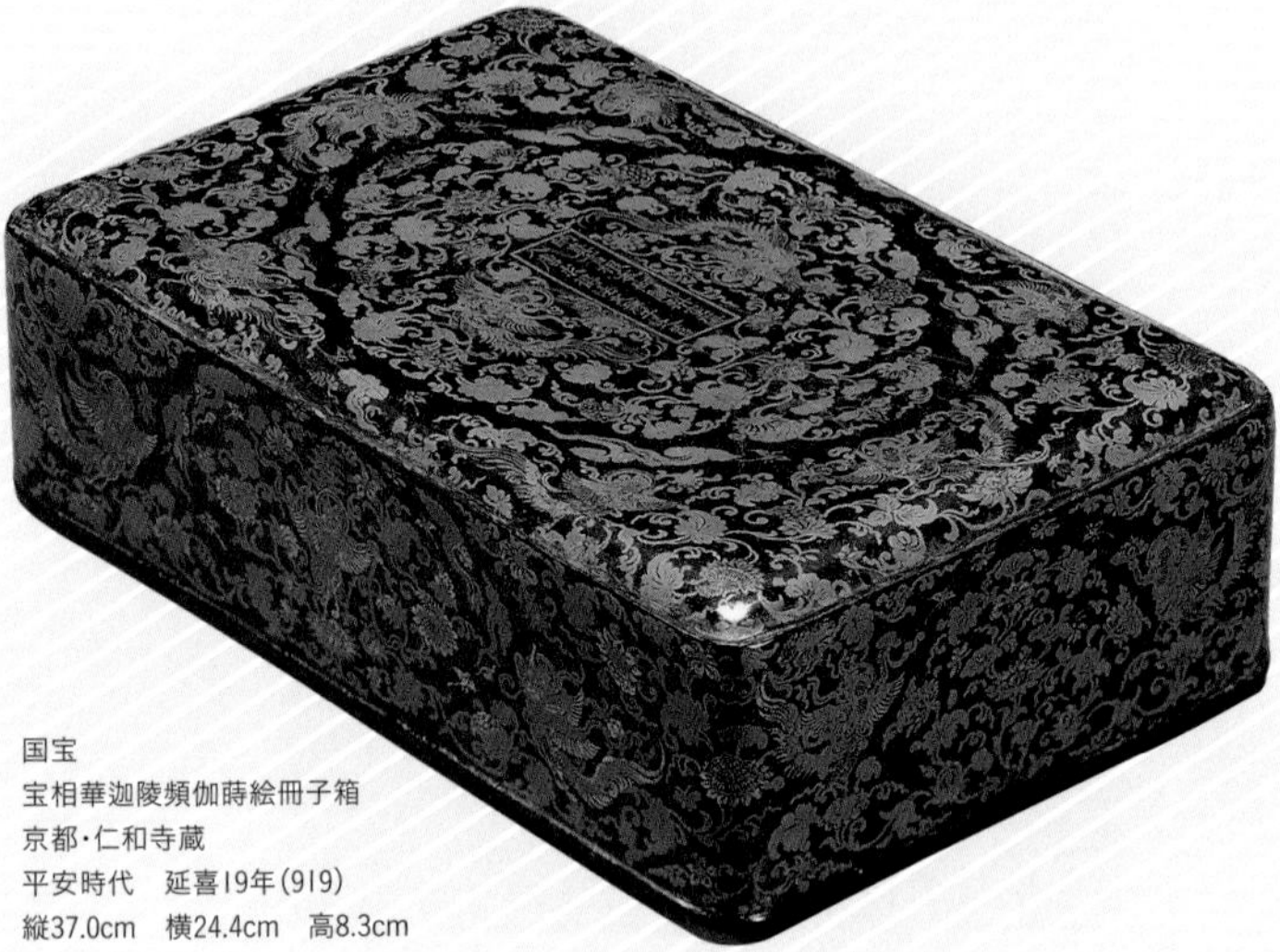

国宝
宝相華迦陵頻伽蒔絵冊子箱
京都・仁和寺蔵
平安時代　延喜19年（919）
縦37.0cm　横24.4cm　高8.3cm

宝相華迦陵頻伽蒔絵冊子箱《ほうそうげかりょうびんがまきえさっしばこ》

空海が唐から持ち帰った「三十帖冊子《さんじゅうじょうさっし》」を納めるために、醍醐《だいご》天皇が作らせた経箱。木製ではなく、漆に浸した麻布を貼り重ねて作られており、全体を黒漆で塗った上に宝相華（極楽浄土に咲くという花）と迦陵頻伽（仏法をさえずるという半人半鳥の霊鳥）を金銀の研出蒔絵で描いている。平安時代の遺品は稀少《きしょう》な上、文字資料から制作の経緯や年代がわかる蒔絵の最古例として貴重な作品。

日月蒔絵硯箱《じつげつまきえすずりばこ》

天下をとった豊臣秀吉が後陽成天皇に献上したと伝わる硯箱。全体をきらびやかな梨地とし、蓋表には金で日輪《にちりん》を、蓋裏には銀で三日月を、側面や懸子《かけご》の見込みには金平蒔絵で昇龍降龍が描かれる。太陽と月はそれぞれ昼と夜を照らす天のエネルギーとして、古来、信仰の対象であった。龍は中国で雨を降らすと信じられ、天候さえも支配するというところから、皇帝の権威の象徴とされた。日月と龍を描いたこの硯箱は、天地を司《つかさど》る力を表現しており、天下人から天皇への献上品として、いかにもふさわしい品であると言える。

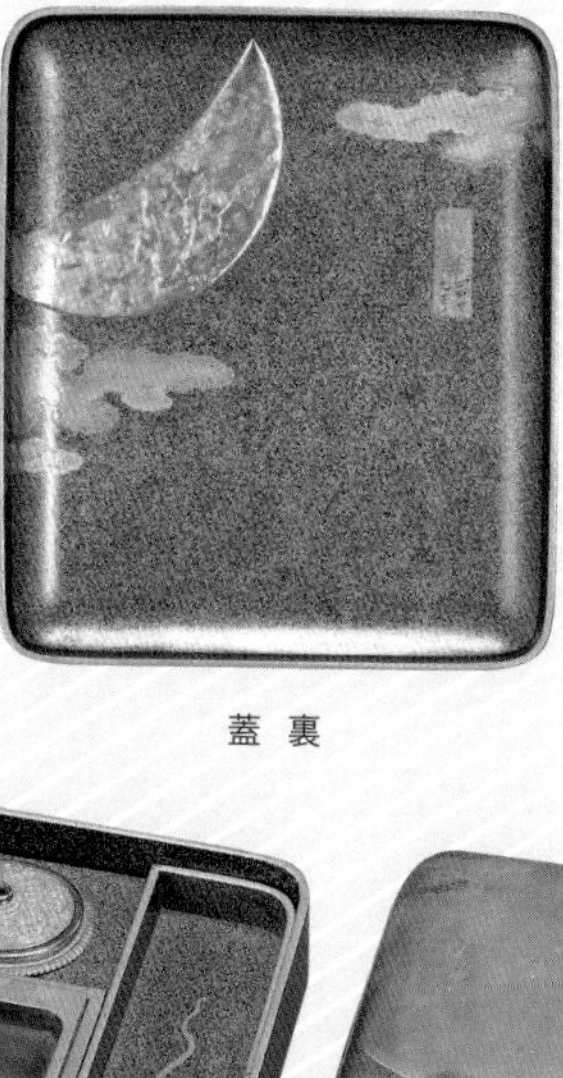

蓋裏

重文　日月蒔絵硯箱　京都・仁和寺　桃山時代（16世紀）　縦28.2cm　横24.4cm　高5.7cm

枝垂桜祇園守紋蒔絵見台《しだれざくらぎおんまもりもんまきえけんだい》

表

裏

婚礼調度は、婚儀のおりに財力、政治力、文化水準を演出する大切な道具であり、豪華な蒔絵で飾り、家紋を散らすのが常であった。この見台も婚礼調度の形式に則《のっと》り、大名家の道具にふさわしい総梨地の背景に水辺に咲く枝垂桜が金銀の蒔絵で描かれている。家紋はくずし祇園守《ぎおんまもり》紋で、備前《びぜん》池田家にゆかりの道具と考えられている。

枝垂桜祇園守紋蒔絵見台　江戸時代(17〜18世紀)
幅42.6cm　奥行30.3cm　高63.0cm

蒔絵夕顔形小香合《まきえゆうがおがたしょうこうごう》

飴粒《あめつぶ》ほどの小さな香合。果実の形をしているが、胴の途中で身と蓋に分かれる容器である。外面は銀地に金や青金の薄い高蒔絵で夕顔の葉を描き、内部は詰梨地で全面を覆《おお》い、合口《あいくち》や口縁《こうえん》を金地とする伝統的な作りである。江戸時代半ばから西洋にも輸出され、かのマリー・アントワネットが集めた蒔絵コレクションにも含まれている。

蒔絵夕顔形小香合　江戸時代(18世紀)
径2.7cm　高3.3cm

トラりんの絵日記

9月21日（月）天気

永島研究員には蒔絵のことを教えてもらったリン！

和歌や家紋、野菜まで！　いろいろなものがデザインに使われていて、おもしろかったリン♪

当時の様子や生活が関係しているということを知って、作品をぐっと身近に感じたよ☆

それから、蒔絵の技法についても学んだリン！

細かいところまでキラキラしていて美しいなぁと思ったけどたくさんの技法が使われていたなんて、すごいリン！……　ボクも練習したらできるようになるのかなぁ☆

4章　やきもののデザイン

やきものに絵を描く

この巻でもたくさんの美術を楽しめたリン♪ 美術作品とデザインの関係は、切っても切れないものだリン！ 土器や絵巻、蒔絵……。これだけ学べばもうばっちりリン☆

降矢《ふりや》研究員（以下 降矢） ちょっと待った！

ん？ その声は……。

降矢 やきもののデザインについても知ってみない？

あれれ、そこにいるのは降矢研究員！ もしかしてさっきからボクを見ていたの？

降矢 トラりんがデザインの勉強はバッチリだって言うから、あわててやってきたんだ。

ということは、降矢研究員もデザインのことを教えてくれるの?!

降矢 もちろんさ！ 第1章では、古代の日本人とやきもの（土器）のことを学んだよね。この章では、近世につくられたやきもののデザインについて教えてあげるね。

わぁい☆ よろしくリン♪

降矢 今回は、京都で焼かれたやきものである「京焼《きょうやき》」について見ていこう。京焼は京都で焼かれたやきもののことで「御室《おむろ》焼」「乾《けん》山《ざん》焼」「古《こ》清水《きよみず》」などが代表的なものだよ。

京焼には、たくさんの種類があったってこと？

降矢　京焼には、御室焼、乾山焼、清水焼、押小路《おしこうじ》焼などをはじめとして多くの窯《かま》がつくられているんだ。

そして、それぞれの窯が芸術性豊かで個性に富んだやきものをつくっていて、さまざまな形や色とりどりの絵付けが施されたりしているんだよ。江戸時代にはその人気が高く、九州や東海地方で似たようなやきものがつくられるほど、知られたものになっていたんだよ。

江戸時代のひとはどうしてやきものに絵を描いたりしたの？

降矢　当時の人びとにとって、やきものは生活必需品であると同時に、食事や生活を彩《いろど》るものとなっていたんだ。その背景として、桃山時代（16世紀末～17世紀はじめ）になり、人びとの生活スタイルが変化し、食生活にもゆとりが生まれてきたことなどが考えられているよ。

楽しい食事にするためには、お皿にもこだわりたくなるよね♪　古谷研究員も、縄文時代のひとは「暇《ひま》だった」から、装飾的な縄文土器を作れたんだって教えてくれたリン！

降矢　生活が豊《ゆた》かになって、絵を描いたり、装飾を施したりしたお皿を見て楽しむよゆうが出来たんだろうね。桃山時代の志《し》野《の》焼や織《おり》部《べ》焼などには、絵具によって独創的な文様が描かれているんだけど、初期の京焼は中国や朝鮮半島から輸入されてきたやきものの形や文様を写《うつ》したものが多いんだよ。

「写し」ってなぁに？

降矢　写しとは、優れた作品の形を摸造したり、文様を写しとってつくったもののことだよ。日本では写しものも好んで使われていたんだ。

職人たちの努力によって京焼が生み出された

降矢　京都ではそれまで須恵器《すえき》などが焼かれてはいたものの、目立ってやきもの生産が行われて来なかったんだ。桃山時代頃になると、茶《ちゃ》の湯《ゆ》の流行などもあり、出来の良いやきものが求められるようになり、京都でもやきものづくりが盛んになっていくんだ。やきものに絵付けがされ始めると、素地の土にもこだわって、より上質なものを求めるようになるんだ。

絵を描いてデザインするだけでなく、材料にまでこだわるんだね♪

降矢　そうなんだよ。特に仁清《にんせい》の御室焼は、お金持ちの公家《くげ》などがパトロン（お金の面で支えてくれるひと）だったので、高価な顔《がん》料《りょう》（絵の具のもと）を使っていたんだ。この「色絵若松図茶壺《いろえわかまつずちゃつぼ》」は、赤や緑、金銀で描いた椿《つばき》や若松が、背景の山並みと優雅《ゆうが》に調和しているよね。

漆《うるし》みたいに黒い背景もきれいだリン！

降矢　いわゆる「仁清黒《にんせいぐろ》」と呼ばれる光沢のある黒釉《こくゆう》がかけられているよ。この茶壺をもっていた四国の丸亀藩《まるがめはん》・京極《きょうごく》家は京都の公家の出身だったので、御室焼を愛好する貴族や文化人などと親しかったのもあり、手に入れたんだろうね。

文化的な人たちが集まっていたんだリン！

降矢　御室焼をはじめたのは、清右衛門《せいえもん》という陶工《とうこう》だよ（「仁和寺近くの清右衛門」との意味から「仁清」と称した）。皇室と縁の深い御室仁和寺の門前に窯が築《きず》かれたことからもわかるように、公家好みな作風で知られているよ。彼らの要望にこたえて、茶壺や茶碗に絵を描きはじめたというのは、やきもののデザインの歴史上、とても画期的《かっきてき》なことだったんだ。

当時の様子が見えてきて、おもしろいリン♪

京焼

色絵若松図茶壺《いろえわかまつずちゃつぼ》

重文　色絵若松図茶壺　野々村仁清作　文化庁蔵　江戸時代（17世紀）
高26.3cm　口径10.5cm　底径9.6cm

色絵氷裂文角皿《いろえひょうれつもんかくざら》

色絵氷裂文角皿　尾形乾山作　江戸時代（17〜18世紀）　5枚のうち
高2.6cm　縦15.0cm　横15.8cm

文様を写しつつ、新しいデザインが生まれたリン！

影響しあって生まれるデザイン

降矢　次に「乾山《けんざん》焼」を見てみよう。

ケンザン…ヤキ?

降矢　京都の北西（乾《いぬい》の方角）の山に窯を築いたことにちなんで、乾山とつけられたんだ。この窯の陶工は尾形深省《おがたしんせい》（通称・乾山）で、画家の尾形光琳《こうりん》の弟だよ。

ボクを描いてくれた尾形光琳さんの…弟?!

降矢　つまり乾山はトラりんの叔父《おじ》さんかな（笑）。乾山の実家の尾形家は京都の有名な呉服商《ごふくしょう》・雁金屋《かりがねや》だったから、光琳と同じように、着物のデザインを日常的に見ながら育ったんだろうね。江戸時代のやきものには、当時の着物の柄《がら》とデザインが共通するものが多く見られるよ。

じゃあ、乾山さんのデザインはオリジナルじゃないってこと?

降矢　オリジナルがどれかを決めるのは難しいけど、むしろ、いろんなジャンルの美術が影響しあってデザインが生み出されていると考えたほうがよいかもね。この皿の文様は、中国の青花《せいか》磁器に描かれた「氷裂文《ひょうれつもん》」を参考にしたと考えられているよ。文様を写しつつ、多色の色絵を施すなどすることで、それまでにないデザインを生み出しているんだ。

文様だけじゃなく、かたちもコピーしたのかな?

降矢　いい質問だね!　かたちも中国のやきものを写しているんだよ。だけど、文様の描き方やかたちなどに乾山なりの個性が見られるよ。

写しつつ、好みや流行を加えてアレンジしていたんだね♪

トレンドを取り入れ、需要にこたえる

カラフルなデザインは、乾山さんの好みだったのかな？

降矢　当時は京都の町人が派手なものを好んだこともあって、乾山はそうした需要にこたえようとしていたのかもね。

角皿の裏は青い絵具で花の文様と年号をかいているよ（62ページ下部）。

表とはちがう印象の美しさだリン！

降矢　乾山が活躍した時代には、四代将軍・徳川家綱《とくがわいえつな》の求めで、中国からきた僧・隠元《いんげん》隆琦《りゅうき》が京都・宇治《うじ》に萬福寺《まんぷくじ》を創建《そうけん》し、煎茶《せんちゃ》や文人画《ぶんじんが》などの中国風の文化を伝えたこともあり、京都の人びとはそうしたことに親しむ

銹絵寒山拾得図《さびえかんざんじっとくずかくざら》角皿

重文
銹絵寒山拾得図角皿　一対
尾形光琳・乾山合作
江戸時代（18世紀）
（寒山図）高3.2cm　縦21.8cm
横21.9cm
（拾得図）高3.1cm　縦21.8cm
横22.0cm

ようになったんだ。乾山はそうした中で、65ページの皿のように文人趣味を感じさせる作品も残しているよ。

子どもに見えるリン？

降矢　修行しているお坊さんだよ。寒山《かんざん》と拾《じっ》得《とく》という中国・唐《とう》代の僧で、二人は仙人のような生活を送ったといわれているよ。寒山拾得という画題は、文人趣味の代表的なもので、絵は光琳が担当したんだよ。

なかよしだリン♪　形はぴちっと四角形だね！

降矢　角が張ったお皿だね。こうしたお皿を焼き上げるのは結構大変なんだよ。造形に適した土を使っている証拠だね。

味のある絵だリン……。

降矢　素人《しろうと》風な描き方だけれど、世間のしがらみから自由になった境地《きょうち》を表現しているといわれているよ。

やきもののデザインは生活スタイルと関係している

この作品のように趣味性がつよいものもあるけど、乾山は商品として売るためのやきものも量産していたんだ。食生活も豊かになり、食器にもこだわりが出てきたことで、乾山の食器類も人気を集めたんだ。

かたちとかざり

降矢　色調や絵付けもそうだけど、もう一つの京焼の魅力は、多彩な造形(かたち)なんだ。

どんなかたちなのか気になるリン！

降矢　御室窯では、さっき紹介した茶壺のように表面に多彩な絵を描くだけでなく、鳥や貝などの生き物や、太鼓《たいこ》や羽子板《はごいた》などの道具を模した香合《こうごう》なども作っているよ。その形状を活かした造形力は優美な装飾（かざり）と相まって、当時の人びとに広く受け入れられたんだ。

トラ形の京焼もあるのかな♪

降矢　あったかなぁ。見つけたら教えてあげるね。

そうそう、次に紹介する「古清水《こきよみず》」と呼ばれる京焼も、仁清と同じようにさまざまなかたちをつくりだしているよ（68ページ）。

ヒョウタンの形がそのまま徳利《とっくり》になっているリン!!

降矢　古清水は主に卵色の生地に、青と緑という限られた色彩で絵を表現したやきものなんだ。この作品は瓢箪《ひょうたん》のかたちを写しているものなんだけど、古清水にはめずらしく、下地に褐色《かっしょく》の鉄釉《てつゆう》を用いているよ。

描かれているのは、梅《うめ》だよね？

降矢　その通り！　違和感なく「梅だ」と思えるのが、この徳利のスゴイところなんだ。

ただ梅を描いているだけじゃないんだね?!

降矢　地の色が茶色で、梅の幹《みき》や枝《えだ》が青色って、普通の梅の木ではありえないでしょ？

鉄砂地色絵《てっしゃじいろえうめもんひさごがたとっくり》

鉄砂地色絵梅文瓢形徳利　京都・青龍寺蔵　江戸時代（18世紀）
高17.8cm　口径1.7cm　胴径13.0cm　高台径7.0cm

梅文瓢形徳利

た、たしかに！　言われてみてはじめて気づいたリン！

降矢　それと、器の表面に梅を描いているんだけど、瓢箪という凹凸《おうとつ》のある形を上手く利用して、梅の枝を交差させたり、前後に遠近を持たせたりして立体的にみえる工夫も凝《こ》らされているよ。これを作り出した職人たちが高い技術力を持っていたからできたんだね。

限られた中で、表現をつきつめているんだね☆

降矢　やきものを作るための土や色絵、デザインを求める人びとのライフスタイル、それらの需要にこたえる陶工たちの技術など、さまざまな要素が京焼のデザインの美しさを生み出したんだ。

やきもののデザインとも関係している着物については、山川研究員に話を聞いてみてね。

そうしてみる！　降矢研究員、教えてくれてありがとリン♪

Q 京焼って何だろう？

「京焼《きょうやき》」は、近世以降に京都で作られたやきものの総称です。

このページでは、京焼の代表的なものを紹介し、その歴史的な流れと特長を紹介します。

仁清《にんせい》・乾山《けんざん》より前の桃山時代の京焼の実態を知るうえで重要なのが、陶器を扱う商家が集まっていた「京都三条せと物や町」の周囲から出土した大量の陶器です。低温で焼成した鉛釉《なまりゆう》系統のやきもの（軟質施釉陶器《なんしつせゆうとうき》）は、手びねり、轆轤引《ろくろび》き、文様を施したものなど多彩です。

やきもの作りは、都市部から離れて行われるのが一般的ですが、京焼は初期から市内で焼かれていました。これは、注文主のオーダーを事細かく反映して高級陶器を作っていた京焼の歴史と深く関係しているのでしょう。

ここで取り上げる以外にも、たくさんの窯があるんだよ。

楽焼

桃山時代になると政治や文化に大きな変動が生じ、茶《ちゃ》の湯《ゆ》の流行なども影響して、それまでにない大胆で独自なやきものが日本国内で焼かれるようになりました。

楽茶碗は『松屋会記《まつやかいき》』などの茶会記《ちゃかいき》に「イマ焼茶碗」と記されたもので、茶の湯の大成者・千利休《せんりきゅう》が長次郎《ちょうじろう》に、利休好みの茶碗を焼かせたことに始まります。轆轤を使わずに手づくねで成形します。広くは京焼に含まれますが、独立したやきものとして分けることが多いです。

御室焼

陶工の清右衛門《せいえもん》（野々村仁清《ののむらにんせい》）は、正保4年（1647）頃に仁和寺《にんなじ》の門前に窯を築き、後水尾院《ごみずのおいん》などの皇族や公家《くげ》などと交流していた茶人・金森宗和《かなもりそうわ》による指導の下、公家好みのやきもの（御室焼《おむろ》）を作り始めます。京都でそれ以前から作られていた軟質施釉陶器の技術を生かし、派手さはないものの格調高い高品質なやきものを多く作りました。

宗和が没すると（1656年）、仁清は色鮮やかな色《いろ》絵《え》作品を作るようになり、加賀前田家や丸亀京極家など、武家からのオーダーが増えていったようです。注文主のニーズの変化に対応し、新しい販路《はんろ》を見いだす感性は、京焼に共通する特長の一つです。

乾山焼

17世紀後半になると富裕な商人・町人が増え、宴席や茶事《ちゃじ》を楽しむようになり、趣味性の強い陶器のニーズが高まります。尾形乾山《おがたけんざん》はこの求めにこたえた京焼を量産します。絵に文字を添えた画賛《がさん》形式など、当時の文人趣味を意識した作風で知られますが、やきもののかたちや文様表現には、仁清の御室焼の特長がよく引き継がれています。

古清水

江戸時代初期の京焼で、町人の宴席での食器類を中心に作られた色絵のやきものは「古清水《こきよみず》」と呼ばれます。卵色の素地に褐色の釉薬を施し、緑と青、金などで絵付けした古清水は、それまでの漆器《しっき》や金工品のかたちをやきものに写し取ったものが多いのも特長です。

江戸時代後期になると、青《あお》木木米《きもくべい》、仁阿弥道八《にんなみどうはち》、永樂保全《えいらくほぜん》など優れた技術を持った陶工が活躍します。時代ごとの要望にこたえながら、京焼の伝統は現代に受け継がれています。

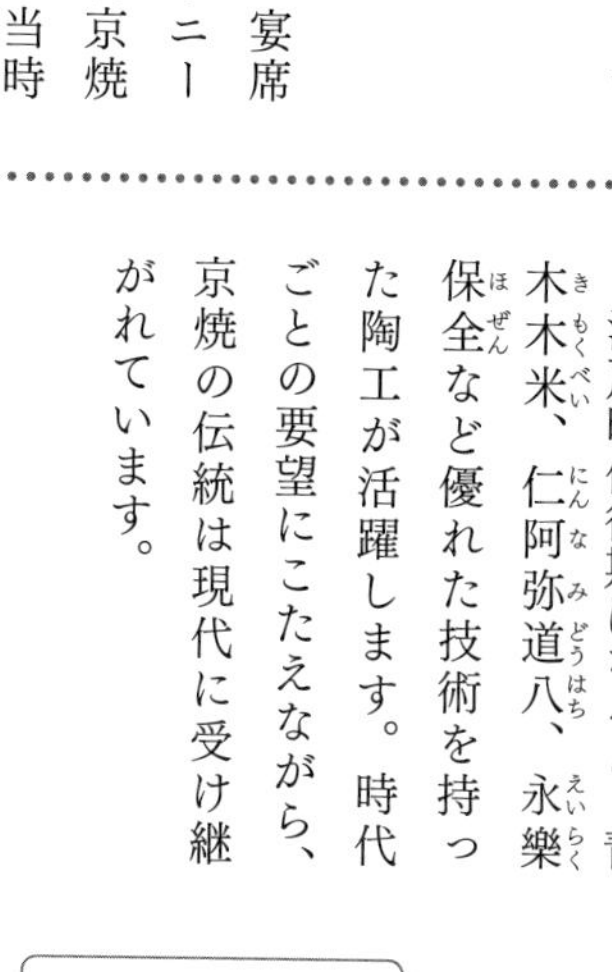

色絵釘隠《いろえくぎかくし》

無印であるが、丸亀藩京極家に伝来したことなどから、御室焼であることはほぼ間違いないだろう。本来は象嵌七宝《ぞうがんしっぽう》で作る釘隠を陶器で模しており、さまざまな色絵具を用いた上絵付けによる調度類《ちょうどるい》の制作で独自の販路を見出した時期の御室焼を代表する作品である。

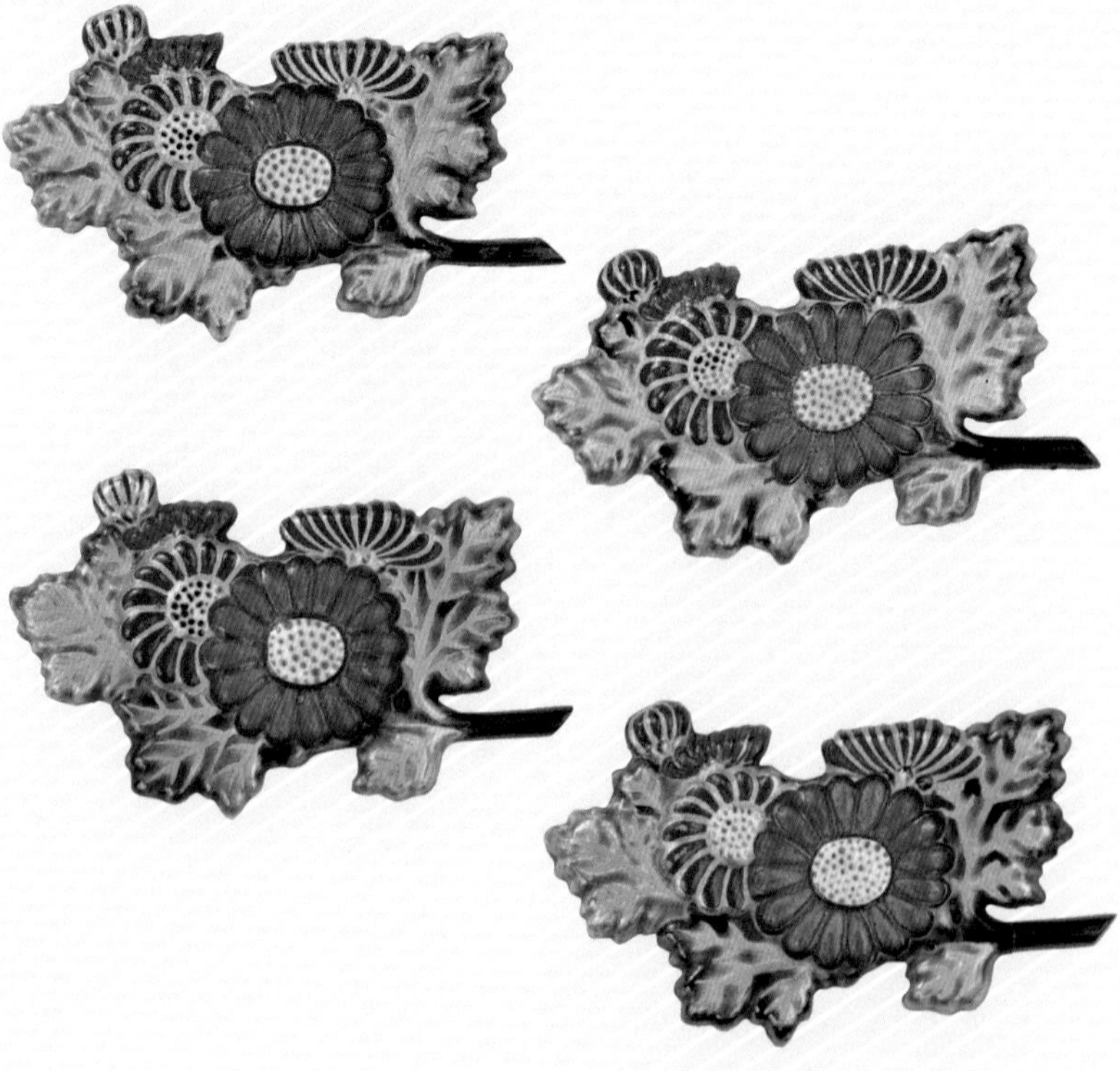

重文　色絵釘隠　伝野々村仁清作　21個のうち　江戸時代(17世紀)
(扇形)縦6.7〜7.2cm　横15.5〜16.4cm　厚1.0〜1.3cm
(菊形)縦5.7〜6.0cm　横11.0〜11.5cm　厚1.2cm

銹絵染付芦雁文帆掛船向付《さびえそめつけあしかりもんほかけぶねむこうづけ》

帆掛船の帆が風を受けてふくらむ姿をかたどっている。帆の上には、風にそよぐ芦と、その上空を飛ぶ雁が描かれている。水上の帆掛船、水辺の芦、空の雁が一体となっており、造形と装飾を巧みに組み合わせる京焼らしいデザインである。

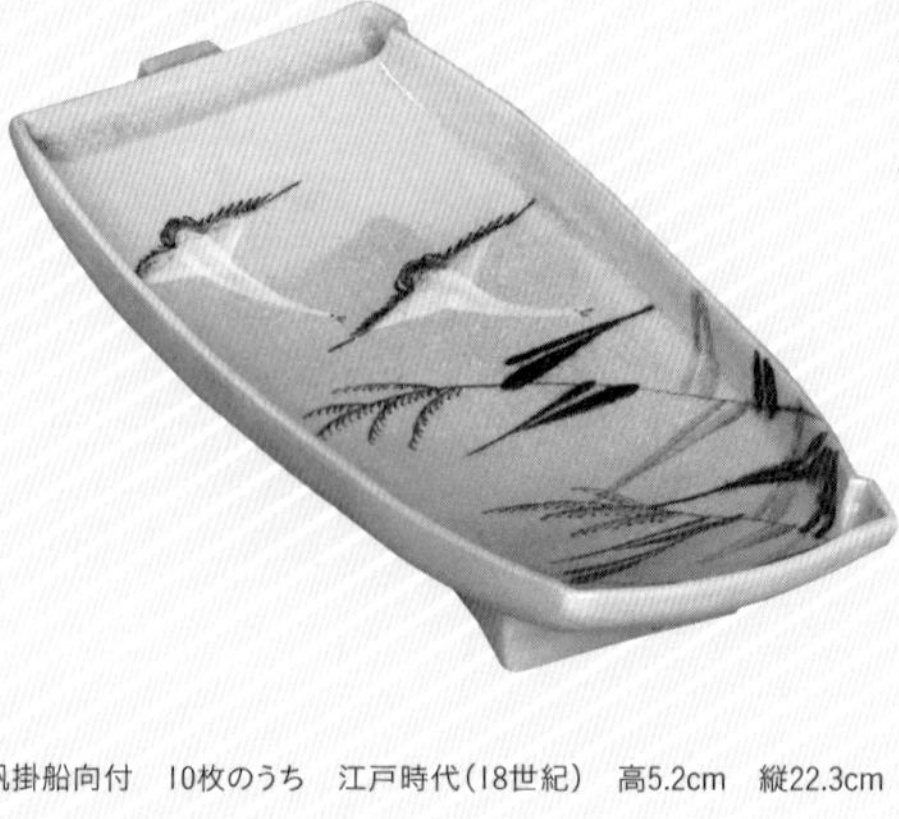

銹絵染付芦雁文帆掛船向付　10枚のうち　江戸時代（18世紀）　高5.2cm　縦22.3cm　横12.0cm

染付名花十友図三段重箱　青木木米作　江戸時代（19世紀）　総高21.7cm　縦16.9cm　横16.8cm

染付名花十友図三段重箱《そめつけめいかじゅうゆうずさんだんじゅうばこ》

青《あお》木《き》木米《もくべい》（１７６７～１８３３）は、京都の磁器生産の先駆者・奥《おく》田《だ》頴川《えいせん》を師とし、煎茶を好んだ文人たちと交遊した。十種の草木の花にそれぞれ「佳友」「禅友」などの文字を添えた本作は、花を友にたとえた中国の故事になぞらえたもので、当時の京都で盛んだった文人趣味の影響を強く感じさせる。

トラりんの絵日記

9月28日（月）天気

今日は降矢研究員に「やきもの」のデザインについて教えてもらったリン♪

京都で焼かれたやきものをひとまとめに「京焼」と呼ぶけど、それぞれ特徴や個性があることを知ったよ！　京焼に求められるものは時を経て変わっていったけど、すぐれた腕前の職人によって、いまも伝統が守られているリン♪　とっても素敵なことだリン☆

デザインは、いろいろなジャンルの美術が影響しあっていることがわかったから、これから作品を見るときに注目してみよう♪

5章

美しく装う

装束は「記号」の役割を果たしていた

研究員のみんなのおかげで、デザインのことがわかってきたリン☆

山川研究員（以下 山川）　トラりん、こんにちは。お仕事頑張ってる？

山川研究員、こんにちリン♪　さっきね、降矢研究員に陶磁器について教えてもらったんだ☆　食べるための器も美しくデザインしてきた日本人はすごいリン！

山川　そうね。いろんな技術が発達した現代なら比較的簡単だけれど、むかしはお皿一枚作るのも手間がかかったのに、色もかたちもきれいなものを作った日本人はすごいね。ところでトラりん、デザインっていったらファッションを忘れちゃダメだよ。

ファッション…、そっか！　ファッションか☆　さすが、いつもオシャレな山川研究員！

山川　オシャレだなんて嬉しいな。ありがとう。男性もそうだけど、特に女性は、むかしもいまもオシャレが気になるよね。それじゃあ、これから一緒に服飾《ふくしょく》のデザインについて見てみようか。

よろしくお願いしますリン♪

山川　一巻で貴族《きぞく》の装《よそお》いについて学んだよね。覚えてる？

もちろんだリン♪　男性の束帯《そくたい》装束《しょうぞく》と小《こ》直衣《のうし》、女性の五衣《いつつぎぬ》唐衣裳《からぎぬも》と小袿《こうちぎ》を教えてもらったリン☆

山川　よく覚えてるね。その束帯装束とか五衣唐衣裳っていうのは貴族たちが着ていたもの、つまり、身分の高い人びとしか着られないものなの。だから、そうした服装の人を見たら、身分が高い人だってことがすぐにわかるよね。

着ている服で、おしごとがわかるっていうことだね☆

山川　その通り。いまでも、お医者さんや看《かん》護師《ごし》さんは白衣《はくい》を着ているし、お坊さんは袈《け》裟《さ》を身につけているでしょう？　服装は、お仕事の内容や所属している会社が一目でわかるような「記号」としての役割も果たしているんだよ。

衣装を飾る文様も、年齢によってちがうってお話ししてくれたよね♪

山川　よく覚えていてくれたね。だから、絵を見ても、描かれている人物の着衣の形状や文様、色調などを見ることでその人物がどんな人か推測《すいそく》できるんだよ。

でもね、有職《ゆうそく》のように前例を取り入れながら文化を受け継いでいくという姿勢と真逆だったのが戦国時代。

武将《ぶしょう》が活躍《かつやく》した時代だリン！

山川　社会が流動化した変革の時代だけれど、服装でいえば陣羽織《じんばおり》なんていうのも前例がないものね。古くからあった甲冑《かっちゅう》がシンプ

桐矢襖文様胴服《きりやぶすまもんようどうぶく》

ルに機能的になるにつれ、その甲冑の上にまとう陣羽織が登場したの。陣羽織には外国からもたらされた生地が用いられたりすることが多いけれど、それも前例がないからで、変革期の面白さがよくあらわれているよね。これは桐《きり》矢《や》襖《ぶすま》文様《もんよう》胴服《どうぶく》っていってね、豊臣《とよとみ》秀吉《ひでよし》が南部《なんぶ》信直《のぶなお》っていう武将に与えたものなの。

陣羽織とは、どうちがうの？

山川　武将が着たっていうことでは同じだけど、これは主《おも》に小袖《こそで》の上から羽織ったんだよ。陣羽織と同様に、当時の斬新《ざんしん》なデザインが感じられるね。文様はすべて絞《しぼ》り染《ぞめ》であらわされていて、こんな風に絵文様を絞り染だけで表現する技法は、現代では「辻が花染」って呼ばれているの。でもね、「辻が花」は桃山時代から使われている言葉なんだけど、当時はちがう染色技法を指していたとの説が有力。この胴服はその絞り染の最盛期《さいせいき》の遺例《いれい》だよ。

天皇や貴族が着ていたものとは全然ちがうんだね！　武将が着ていたのも納得だリン☆

山川　人目をひく派手なデザインは桃山時代の特徴だね。

きもの

重文「桐矢襖文様胴服」
桃山時代（16世紀）
丈115.2cm　裄57.9cm

萌黄・紫・浅葱などで染められた文様は全て「絞り染」だよ。

華やかだリン♪　この胴服を着こなすなんて桃山時代の男のひとはおしゃれだね!!

草花文様四つ替小袖《そうかもんようよつがわりこそで》

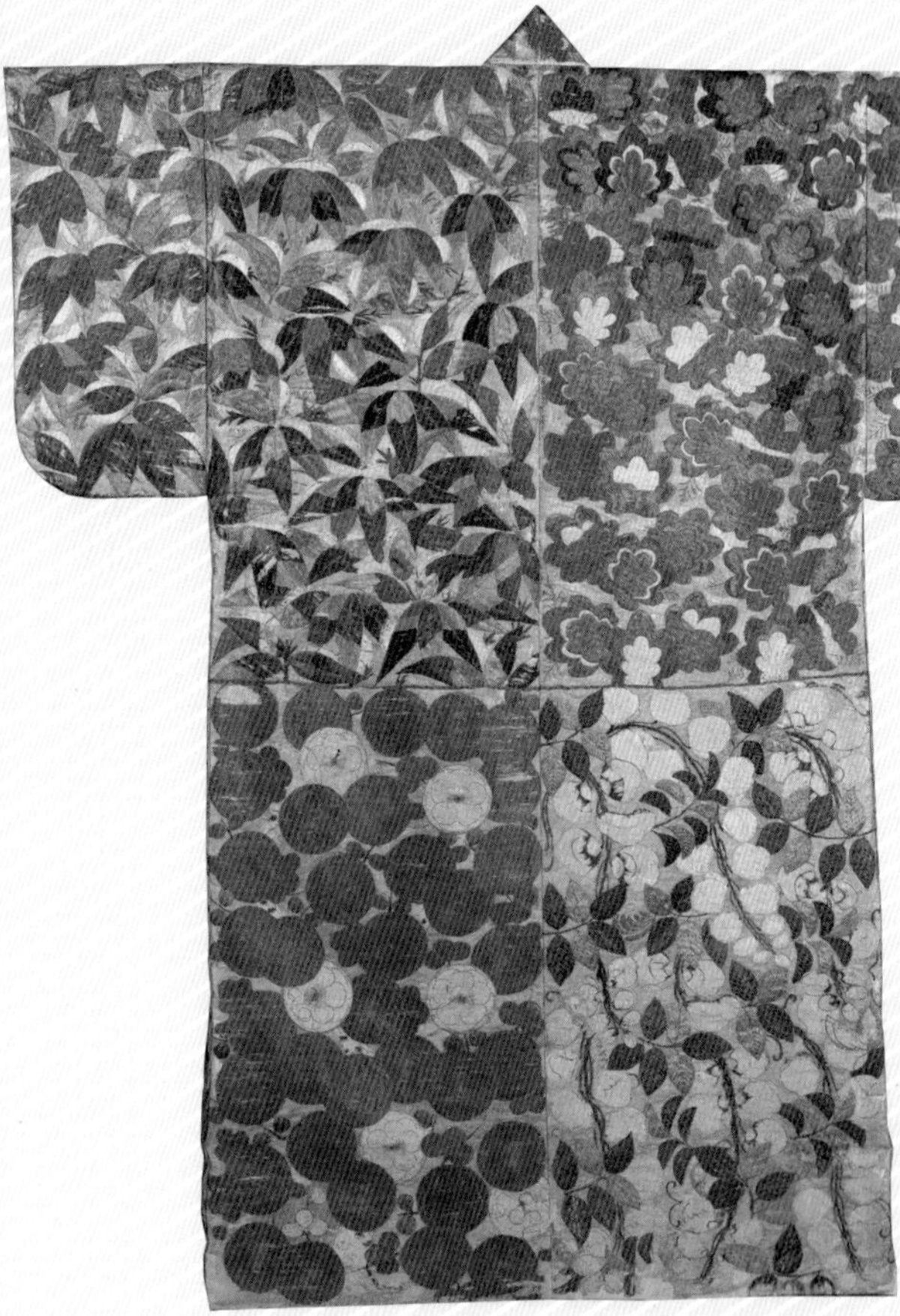

草花文様四つ替小袖
室町〜桃山時代（16世紀）
丈132.5cm　裄58.5cm

四季の生命力からパワーをもらえそう!!

エリアにわけ、文様を埋め尽くす

山川　ところで、身分を示《しめ》していた服装は、時代が経《た》つにつれ、シンプルになっていく。例えば平安時代の宮中《きゅうちゅう》に仕《つか》えていた女性たちは小袖を着て、袴《はかま》を穿《は》いて、広袖《ひろそで》を打ちかけていたんだけれど、広袖と袴を着なくなって、小袖だけが残ってしまうの。でも、平安貴族にとって小袖は下着だから、そのまま着るのはためらわれるってことで、小袖が文様で飾られるようになるんだよ。

もしかして、それがいまみんなが着ている着物につながっていくの？

山川　大正解！　トラりんも頑張って学んでいるね。

えっへん☆

山川　織田信長《おだのぶなが》や豊臣秀吉といった戦国武将が活躍した変革の時代に、小袖も一層カラフルになったんだよ。例えば、これは室町時代の後半から桃山時代にかけて流行したデザイン。

お花の絵がたくさん描かれているけど、なんだか不思議なデザインだリン☆

山川　この時代は直線や曲線で区画を作って、それぞれに文様を詰《つ》め込むのが特徴なんだ。この草《そう》花《か》文様《もんよう》四《よ》つ替《がわり》小袖の場合は、梅《うめ》、藤《ふじ》、楓《かえで》、雪持《ゆきも》ち笹《ざさ》という春夏秋冬の草花が四つの区画に刺繍されているよ。大きさの異なる花でみっしりと埋め尽くされている印象的なデザインでしょ。

美しさに圧倒されるリン♪

山川　梅も藤も楓も雪持ちの笹も、どれもが生命力を想起《そうき》させるもの。その四つをまとうということは、とってもおめでたいって考えられたんだろうね。

着ている服からパワーをもらうんだね！

山川　この後、慶長《けいちょう》小袖という様式になると、

松皮菱段小文様小袖《まつかわびしだんこもんようこそで》

松皮菱段小文様小袖　江戸時代（17世紀）
丈148.0cm　裄62.0cm

この区画が少しずつくずれていくんだけど、松《まつ》皮菱段《かわびしだん》小《こ》文様小袖では、まだ段の区画が残っているね。でも、文様の一つひとつが小さくなっているでしょう？　黒・紅・白で地色を染め分けて、小ぶりの文様を刺繡と摺箔《すりはく》であらわすのは、まさしく慶長小袖の特徴なんだよ。

本当だリン！　さっきの草花文様四つ替小袖と全然ちがう印象だね☆

山川　戦国時代が終わって江戸時代へと移り変わっていく時代背景もあるかもね。全体的に暗い色調になってるよね。

きもの

菊に棕櫚文様帷子《きくにしゅろもんようかたびら》

東福門院が流行を生み出す

山川　江戸時代の初め頃に流行した寛文《かんぶん》文様になると、デザインが一変するんだ。これは菊に棕櫚《しゅろ》文様帷子《かたびら》だけど、どう感じる？

空間を利用していてシンプルだリン☆

山川　当時のファッションリーダーと考えられるのが、後水尾《ごみずのお》天皇の中宮・東福門院《とうふくもんいん》。御所《ごしょ》風っていうのが最先端のファッションになるの。この東福門院の御用を務《つと》めた呉服商として有名なのが雁金屋《かりがねや》なんだけど、トラリ

菊に棕櫚文様帷子　江戸時代（17世紀）
丈155.5cm　裄62.7cm

んは知ってる?

もちろんだリン！　ボクを描いてくれた尾《お》形光琳《がたこうりん》さんの実家だリン！

山川　さすが!!　東福門院はたくさんの着物を誂《あつら》えたんだけれど、そのデザインの一部が雁金屋の手控《てびか》えの衣装図案帳「寛文三年御絵帳」に載《の》っているの。図案帳には袋とじとなった一丁《いっちょう》の表と裏に小袖の背と前の文様が描かれているんだけれど、これを見ると当時の流行が窺《うかが》えるね。

ファッション誌みたいなものかな♪

山川　そうね。文様だけじゃなくて、地色《じいろ》や、「かのこ」や「金糸」といった文様の細部の技法まで書き込まれているの。「寛文三年御絵帳」には大柄な文様を右側に片寄せしたデザインが多く載っているけれど、これが東福門院が好んだデザインなんだろうね。そして、東福門院が好んだデザインが「御《おん》ひいなかた」などの小袖雛形本に取り入れられて市井《しせい》の流行を生むことになるんだ。

「御ひいなかた」を、みんなが見ていたということ？

山川　「寛文三年御絵帳」は雁金屋の手書きの控えだけど、「御ひいなかた」は刊本。一般に売られた最初の小袖雛形本なんだよ。寛文6年（1666）に京都で発刊されたんだけど、こうしたものが生まれたおかげで、地方でも京都で流行している最先端のファッションである寛文小袖を知ることができたんだよ。

じゃあ、この本をお店にもっていって「これと同じ着物を作って」って頼めたんだね♪

山川　当時は基本的にオーダーメードの時代だから、そうした使われ方もしたかもね。

友禅染の誕生

山川　寛文小袖までは絞り染や刺繍《ししゅう》を組み合わせて作られているんだけれど、天和3年（1683）に奢侈《しゃし》禁止令が出されて、絞り染や刺繍が贅沢《ぜいたく》だって制約されるんだ。そういう状況の中で生まれたのが友禅《ゆうぜん》染《ぞめ》だよ。

友禅染…、聞いたことあるリン☆

山川　友禅染は現在でも日本の代表的な染色工芸として作り続けられているし、京都市内を歩いているとあちこちで京友禅っていう文字を見かけるね。

もしかして、絵みたいな美しい文様の着物が友禅染でできているの？

山川　そうだよ！　京友禅の「友禅」っていうのは、扇《おうぎ》に絵を描いていた扇絵師の宮崎友禅という人の名前に由来するの。

扇に絵を描いていた人？　友禅染の技法を考えた人の名前じゃないの？

山川　宮崎友禅が描いたデザインは人気があってね、友禅が描いたようなデザインを小袖の文様に応用するために開発された技法が友禅染と呼ばれるようになったんだよ。だから、宮崎友禅は友禅染の技法を開発した人じゃなくて、いわゆるデザイナーという感じかな。

漆器や小袖のデザインも手がけた尾形光琳さんに似た存在だね♪

山川　うんうん、そうだね。これは、段に木賊花兎《とくさはなうさぎ》文様小袖という、友禅

染に刺繍を組み合わせて作られた小袖だよ。木賊という植物と兎が組み合わされてるね。

兎？　どこだろう……？

山川　ここに。ちっちゃくだけど。

見つけたー☆　かわいいリン♪　木賊と兎って何か関係あるの？

山川　「木賊かるそのはら山のこの間よりみがかれいづる秋の夜の月」。この和歌が取り入れられている謡曲《ようきょく》の「木賊」で繋がっているの。園原山《そのはらやま》は木賊の産地で、そこで採《と》れる木賊で磨《みが》いているから月がひときわ美しい、っていう歌から、木賊と月が結びつくよね。月と兎は縁の深いもの。ここでは木賊と兎を繋ぐ月が表現されていないけど、分かる人にはここに月が見えたんじゃないかな。この小袖では、全体に木賊が描かれて、背の真ん中よりやや上あたりに刺繍で白い兎が描かれているね。謡曲の知識があってこそ、より味わえる文様だね。

文学作品の世界は漆芸《しつげい》作品にも描かれている、って永島研究員も言っていたリン♪

山川　平安時代から、天皇や貴族を中心に文化が育まれてきた京都ならではだよね。見た目の美しさもちろんだけど、文学の世界観も工芸作品に託されているなんて、すてきだね。

背面から前面へ

山川　これまで見てきた着物は、背中を中心に文様が描かれていたよね。

そういえば、背中には一面に文様があったけど、前にはあまり描かれていなかったような……。

山川　ところが、次第に背面でも帯より下に文様が描かれることが多くなって、19世紀には、襟の下あたりから裾まわりをぐるっと囲むような裾文様がはやるようになるの。

きもの

段に木賊花兎文様小袖《だんにとくさはなうさぎもんようこそで》

刺繍で描かれた
白い兎

段に木賊花兎文様小袖　江戸時代（18世紀）　丈147.5cm　裄62.5cm

波に千鳥文様小袖《なみにちどりもんようこそで》

波に千鳥文様小袖　江戸時代（19世紀）　丈147.0cm　裄63.0cm

きもの

どうしてだろう？

山川　帯が太くなってきたのが理由の一つだって言われているよ。昔は10センチくらいの細い帯だったのが25センチくらいの太い帯になるとどうなるかな？

真ん中に太い線がきたら、絵がきちんと見えなくなるリン！

山川　そうだよね。細い帯ならそんなに気にならなくても、25センチもある太い帯だったら、帯で隠れた部分の文様が見えなくなって、残念！

だから、最初は、帯の上下で別々の文様を描くようになり、その後、帯より下を中心に文様が描かれるようになるんだ。

いまの着物と同じようになったんだね☆

山川　19世紀になると、流行の発信地も京都から江戸へと移っていったの。江戸ではさっぱりと垢《あか》ぬけた様子が「粋《いき》」って言われて好まれたから、あっさりしたデザインが流行したんだね。

着物ってかたち自体はだいたい同じだけど、描かれている文様がちがうだけで印象が変わるリン。それも時代によって流行があったなんて、現代のファッションにつながるところがあるよね☆　山川研究員、ありがとリン♪

Q1 小袖ってどんなもの?

広袖の和服に対して、袖口《そでぐち》が小さく縫《ぬ》い詰《つ》まっている衣服のことです。現在の着物のもとになっています。平安時代頃までは庶民の日常着や、貴族が装束の下に着る下着でしたが、次第に上着の役割を果たすようになり、桃山時代には衣服の中心となりました。

桃山時代の市井の様子を描いた「洛中洛《らくちゅうらく》外図《がいず》」や「阿国歌舞伎図屏風《おくにかぶきずびょうぶ》」などの絵画作品にも、物見遊山《ものみゆさん》をする女性や働く女性たちが小袖を着ている姿が描かれています。

一枚で着る小袖は、貴族の十二単《じゅうにひとえ》のように重ねの色目を楽しむというより、繍《ぬ》いや染めで表現される文様の多彩さが注目され、色彩豊かなモードの世界が楽しまれました。

重文「阿国歌舞伎図屏風」(部分)　桃山時代(17世紀)　高88.0 cm　横268.0cm

Q2 光琳文様ってどんなもの？

琳派の生みの親としても有名な尾形光琳の画風を取り入れた文様のことで、デザイン性に富んだ画風は小袖の文様に大きな影響を与えました。

梅や菊、蔦《つた》、松といった植物から波千鳥などの鳥まで、単純化され、デフォルメされながらもふくよかさを感じさせるデザインが特長です。

光琳文様は正徳年間（１７１１〜１６）頃から登場し、光琳が亡くなった享保元年（１７１６）以降にさらに流行しました。享保12年刊行の『光琳雛形わかみどり』や同19年刊行の『当世光琳新雛形名取川』など、書名に光琳の名を冠する小袖雛形本も登場するようになります。

和柄の小物でも目にするデザインだね。

切紙紅葉文様小袖　江戸時代（18世紀）
丈150.0cm　裄60.5cm

ほかにも見たい！

きもの

文字入菊に流水文様小袖
江戸時代（18世紀）
丈160.4cm　裄64.5cm

文字入菊に流水文様小袖《もじいりきくにりゅうすいもんようこそで》

『和漢朗詠集《わかんろうえいしゅう》』に載《の》る菅原文時《すがわらのふみとき》の「菊」と題する一首「蘭蕙苑嵐摧紫後　蓬莱洞月照霜中」（らんけいえんのあらしのむらさきをくだきてのち　ほうらいとうのつきのしもをてらすうち）を意匠化した小袖。流水と菊花を組み合わせ、さらに肩や袖などの上半身に「蘭」や「苑」などの漢字が散らされている。寛文小袖のように華やかな大柄の文様を左肩から右腰、さらに裾へと逆C字形に流れるように配置しつつ、左脇の空間が狭まる構成は元禄期頃の特色。

賀茂競馬文様小袖《かもくらべうまもんようこそで》

上賀茂《かみがも》神社で5月5日に催される競馬神事を描いた小袖。紅葉を背景に右脇から左裾にかけて勢いよく疾駆《しっく》する二騎の馬が描かれ、追いつ追われつする二騎の激しい息づかいが伝わってくるかのような図が友禅染であらわされている。絵画のような繊細な表現は、友禅染の真骨頂。文様からも、少年が着用した小袖であったろう。

賀茂競馬文様小袖　江戸時代（18世紀）　丈128.0cm　裄64.7cm

トラりんの絵日記

10月5日（月）天気

山川研究員には着物、特に小袖について教えてもらったよ♪

1巻で学んだ装束が生活に合わせて変わっていって、現在の着物になっていく様子に感動したリン！　下着だった小袖に絵が描かれたり、デザインも時代によって変化したんだって☆　みんなの「美しくなりたい」という想いが、着物のデザインにあらわれたんだね！

尾形光琳さんのデザインが人気だったというお話は、とってもほこらしい気持ちになったリン♪

京博をもっと知ろう！③

京博での科学分析

※各巻の巻末特集では京博のさまざまな取り組みを紹介します。

科学分析とは

トラりん　今回も研究員のみんなのおかげで日本の美術についてたくさん学ぶことができたリン♪　展示しているものを見るだけでも楽しいけど、みんなに教えてもらったことを意識したらもっと楽しくなるはずだリン☆　そういえば、文化財の展示や保存、修理には科学分析が利用されているって聞いたよ！

降幡《ふりはた》研究員（以下　降幡）　トラりん、こんにちは。元気にしてる？

トラりん　その白衣姿は…降幡研究員！　いいところで会えたリン♪　降幡研究員に教えてほしいことがあるんだ☆

降幡　私がわかることなら何でも聞いてね。

トラりん　ありがとリン♪　2巻の「京博での文化財修理」で、文化財の修理では、最初に分析調査をするって聞いたんだけど……。

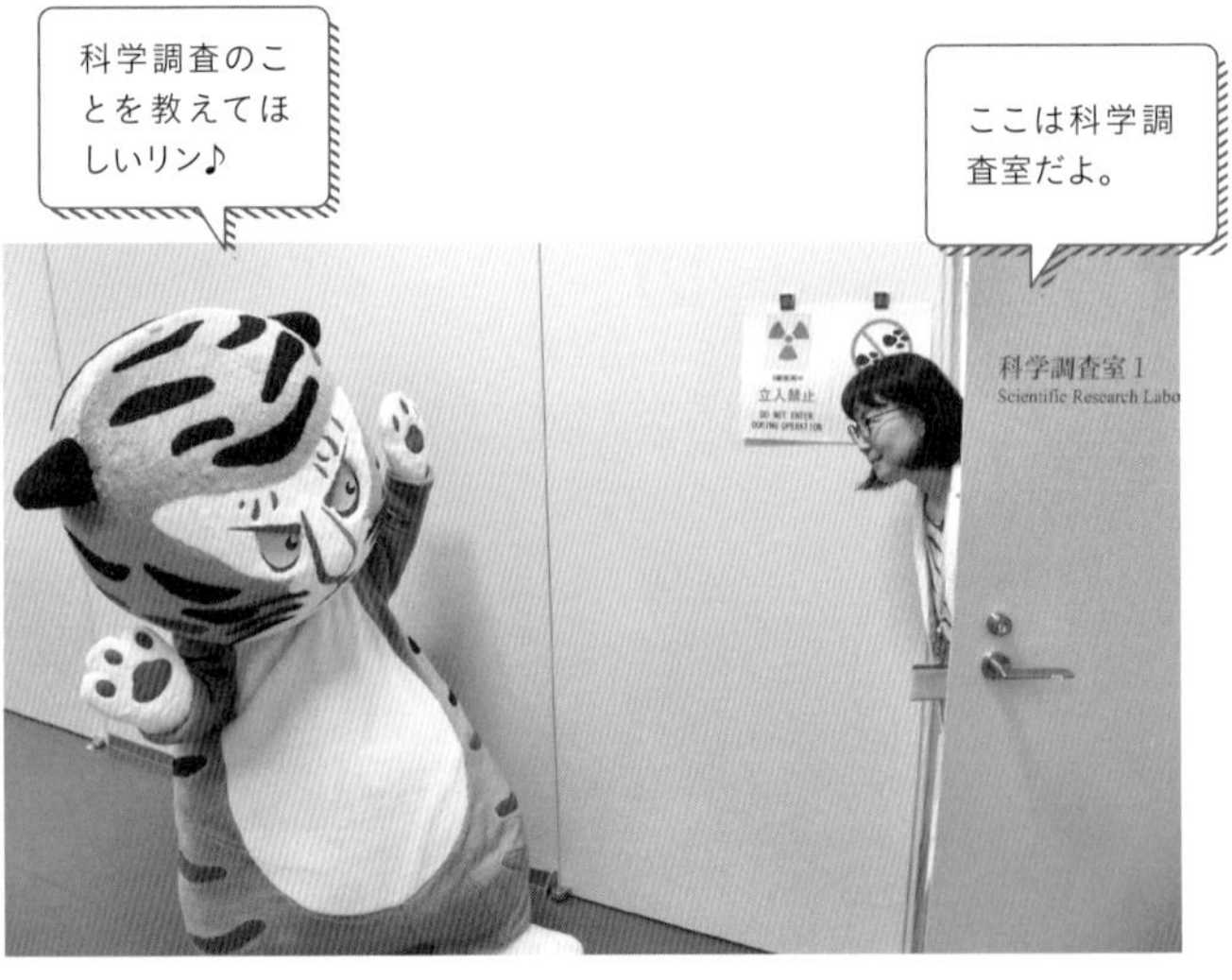

降幡　そうね。文化財にもいろいろあって、彫刻もあれば絵画もあり、金工品や漆工品もあるよ。その中で、まずは絵画に関して説明するね。

トラりん　ボクが描かれている「竹虎図」も絵画だから気になるリン！

降幡　まず、修理をなぜ行うかというと、その作品が何らかの問題を抱えているからそれを改善しましょうということ。それじゃあ、実際に修理をしようとすると、どの範囲をどんな方法で修理するのかが問題になってくるよね。目に見える部分は良いけれど、見えない部分や材料など、状況を把握しないまま修理を進めてしまうと、かえって作品を傷めてしまう可能性があるんだ。

トラりん　え?!　そんなことがあるの？

降幡　残念ながら、あるの。絵の裏側の状態が分からないまま作業を進めることは危険だから、レントゲン撮影や赤外線写真を撮影してから作業を始めたり、顕微鏡観察をして絵具の重なりを確認したり、X線や光（可視光線や赤外線）などを利用して絵具の種類を確認したりするんだよ。例えばトラりんが2巻で聞いた文化財修理では、掛軸《かけじく》を修理する際には表具《ひょうぐ》を解体して、絵が描かれている本紙を取り出すんだけれど、昔は水をたくさん使って裏打ち紙を剝《は》がしていたの。でも、現在は水の使用を必要最低限にする方法がとられることも多いよ。

トラりん　どうして？　むかしといまではやり方が違っていたということ？

降幡　技術が確立《かくりつ》されていない時代には主に水を使う方法で行っていたんだけれど、やっぱり、水をたくさん使うと、絵具の接着力が不均一《ふきんいつ》になる原因になったり、特に新しい作品では水溶性の絵具が滲《にじ》んでしまう可能性があるんだよね。そういうこともあるから、まず、赤や青や紫などに使われている絵具が水に溶けてしまわないかを確認したりするの。

トラりん　すべての絵で確認作業をしているの？

降幡　修理技術者のひとたちは経験も積んでいるから、見ただけでわかることも多いけれど、残念ながら１００パーセントというわけではないの。判断がむずかしいというケースもあるから、そうしたときに分析で客観《きゃっかん》的な事実が得られたら、修理作業も安心して行えるというわけ。絵画作品なら、ほかにも修理や復元模写をする際には元の絵と同じ材料を使用しようということもあるしね。

トラりん　絵画の修復に分析調査が大切なのはわかったけど、他の作品はどうなんだろう？

降幡　仏像などの彫刻の場合でも、一本の木を彫って造られているものと、いくつかのパーツを組み合わせて造られているものがあるんだけど、仏像によっては内部にお経や水晶のようなものが納められている場合があるの。そうした納入品《のうにゅうひん》の有無を確認するためにも事前にレントゲン撮影やＸ線ＣＴによる調査をすることがあるんだ。たとえ中に何も納められていなくても、どのような構造になっているのかがわかれば、解体していく順番も決められるから、仏像に負担をかけずに済むんだよ。

トラりん　とっても大切な作業だリン！　金属のものも同じなの？

降幡　金属の場合は特に、色調《しきちょう》や性質が化学組成によって変わってしまうから分析が大切だね。例えば金色に見える金属が純金《じゅんきん》（24金）なのか18金なのか、銅《どう》・亜鉛合金《あえんごうきん》のような金色に見える素材（真鍮《しんちゅう》）なのか調べたりするの。絵画や漆工品でも金色の部分に真鍮が使われているということもあるからね。化学組成は、目で見てるだけではわからないことが多いんだ。それとね、その作品が作られた当時のひとがどのような技術を駆使《くし》していたのか、どんな素材を使っていたのかがわかると、

今後の研究にも役立っていくんだよ。

トラりん　作られた当時の技術がわかるなんて、ワクワクするリン♪

降幡　例えば平安時代に作られた作品があって、室町時代や江戸時代に修復されたとして、うまく調査ができたら、それぞれの時代の修理の様子が観察できることもあるんだ。そうした調査結果を参考にして次の修理の方針を考えていくんだ。一つひとつ大切な作品だから、修理の方針を決めるときには科学調査の結果も役立てながら慎重に行われているよ。

トラりん　じゃあ、科学分析は修理をするための準備作業ってことなんだね！

降幡　その通りだけれど、もう一つ、学術調査のためという役割も大きいかな。国宝や重要文化財などの指定に関わるデータを取得したり、純粋《じゅんすい》に研究目的で調査が行われることもあるよ。新聞などで新しい発見があったっていう記事を目にすることがあると思うけれど、それも、学術的な科学調査の過程《かてい》で判明したっていうことも多いの。

ただ、京博には40年の歴史がある文化財保存修理所があるから、修理に関連した科学調査が多いのも事実なんだ。

トラりん　多いということは、毎日やっているってこと？

降幡　時期にもよるけれど、平均すると1週間に1、2件くらいかな。というのも1件の調査に2日以上かかったり、測定で得られたデータを解析して、分析結果をまとめて報告する時間も必要だからね。例えばX線CT調査をすると、撮影と画像をつなぎ合わせて動画を作る作業に1週間くらいかかることもあるんだ。

トラりん　大変な作業だリン！

さまざまな分析

降幡　文化財に対する科学分析は、日本では明治時代には行われていたし、レントゲン撮影も戦前から行われていたよ。現在、主流となっている非破壊調査（文化財を傷《いた》めないように調査すること）は装置の精度《せいど》向上にともなって、大型のものまで調査が可能になってきているんだ。さすがにX線CT装置は鉛《なまり》の板できっちりと遮蔽《しゃへい》した部屋に設置されているけれど、レントゲン撮影は移動式《いどうしき》がすでにあるから、人間が被曝《ひばく》しないよう対策をすればわざわざ検査室に運び込まなくてもこちらから保管場所や修理の現場に足を運んで調査をすることもできるんだ。たとえば大きな仏像でも、X線で透視《とうし》してみると、昔の釘穴や、その穴の長さもわかるし、以前の修理でどのように樹脂《じゅし》、つまり接着剤が塗られたのかもわかる。それに、漆を塗ると表面からは材質がわからなくなるけれど、使用されている釘が木なのか金属なのかという違いや、古い釘穴に折れた破片が残っていたりすることもはっきりわかるよ。

京博での科学分析

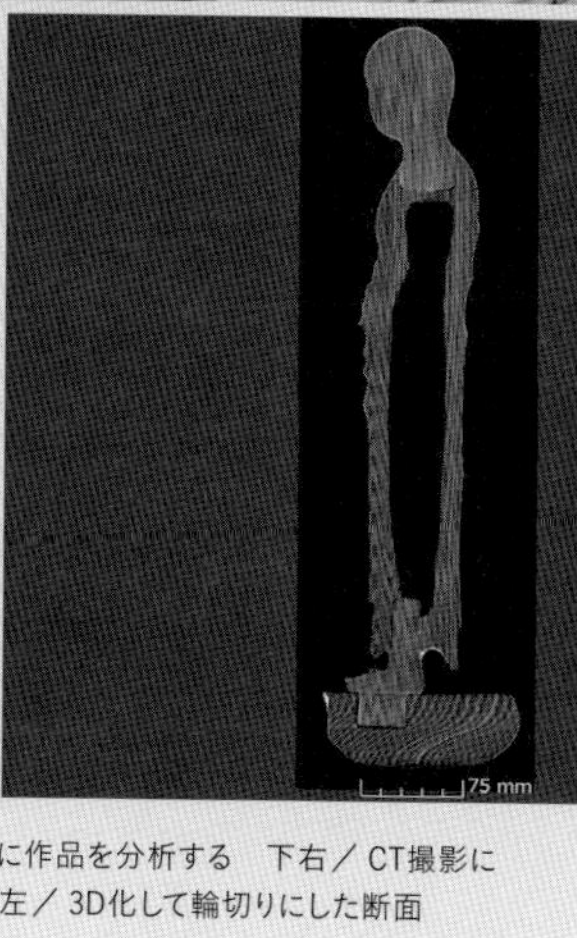

作品の内部の様子がわかるよ。

上／X線CTで作品を撮影　中／X線CTで撮影したデータをもとに作品を分析する　下右／ CT撮影により得られた仏像の断面。パーツに分かれているのがわかる　下左／ 3D化して輪切りにした断面

トラりん　検査室に持ち運ばなくても調査できるのは便利だリン☆　調査しやすくなることは作品にとっても良いことだね！

降幡　X線CTで得たデータをコンピューター上で3D化してクルクルと回転させていろいろな方向から見たり、少しずつ輪切《わぎ》りにして断面を確認することもできる。

トラりん　いろんなことがわかるリン☆

降幡　その全てが文化財を守ろうという目的からきているんだよ。

環境を整える

トラりん　修理をするための検査は、健康診断みたいに作品を全体的に検査するの？　それとも直さなければいけない部分だけ検査するのかな？

降幡　人間の場合、具合が悪いと思ったら、自分で病院に行くことができるし、はじめにお医者さんへ症状を伝えることができる。そして診察をして風邪《かぜ》とか骨折という診断がされるよね。でも文化財は自分からここが痛いです、と伝えることはできないから、博物館の研究員などが目で見たり科学調査をして診察し、悪いところを診断してあげる必要があるの。その結果、「投薬《とうやく》治療をしましょう」「手術をしましょう」「経過観察しましょう」というように治療（修理）する。その診察や治療に科学調査を役立てているよ。でも、健康診断のように症状の微《かす》かな兆候《ちょうこう》を早めに見つけて対処す

る方が良いから、本当は全ての作品を定期的に診《み》た方が良いけれど、作品の数が多いと難しい場合もあるんだ。

トラりん　全部の作品を一つひとつ診てあげられたら、大変な手術をする回数を減らすことができるかもしれないもんね！

降幡　そうだね。私たちが老化していくのと一緒で、時間の経過とともに経年変化をすることは止められないことだけど、温度や湿度、空気や光といった保管している環境を適切にしてあげられたら、変化を少なくできるんだ。

トラりん　そういえば、京博の館内はいつも環境を管理しているんだよね☆

降幡　24時間３６５日、季節に合わせて、文化財に優しい環境を維持できるように目指しているよ。温度や湿度、空気や光はもちろんだけど、虫の侵入や、有機酸《ゆうきさん》・アンモニアなどの目に見えない有害ガスや微粒子《びりゅうし》などの制御《せいぎょ》も大切なんだ。館内はお客様の出入りがあるから密閉《みっぺい》はできないけれど、展示ケースは密閉《みっぺい》したい。でもね、展示を変えるために展示ケースの中を模様替えするだけで、展示ケースの内部の環境が変化してしまうの。

トラりん　そんなに変わっちゃうの?

降幡　トラりんが想像している以上に簡単に変化してしまうよ。それと、特に怖いのは水分。温度や湿度が急激に変化すると、結露《けつろ》という現象が作品でも生じるかもしれないの。結露は劣化の原因になるんだよ。水分があるとカビが繁殖《はんしょく》したり、虫が集まってきたり、金属だと錆《さ》びたりもする。そのような状態になってしまっても、気づかずにそのままにしてしまったら劣化が進んでしまうんだ。

トラりん　怖いリン……。水分があるだけで、いろんな影響があるんだね！

降幡　知らないうちに劣化が進んでしまったら、収納している箱から取り出してみた時に「あれ、ここに錆びがあったっけ？」とか「何だか表面が汚れてるように感じるな」というような状態になってしまうこともあるの。京博で所蔵している作品のほかに、数多くの寄託品（お預かりしている作品）もあるから学芸員の皆さんと一緒に注意を欠かさないよう努力しているよ。

トラりん　京博にはたくさんの文化財があるから、一つひとつに目を配るのは大変なんだね……。

降幡　湿度に関しては一定に保つために調湿《ちょうしつ》保《ほ》存剤《ぞんざい》を置くんだけど、展示計画をみながら使用する相対湿度のパーセントや置く場所を調整していくんだよ。作品のためにもできるだけ劣化をしないように細心の注意を払うように常に心がけているよ。

トラりん　みんなの努力に感動だリン…（泣）

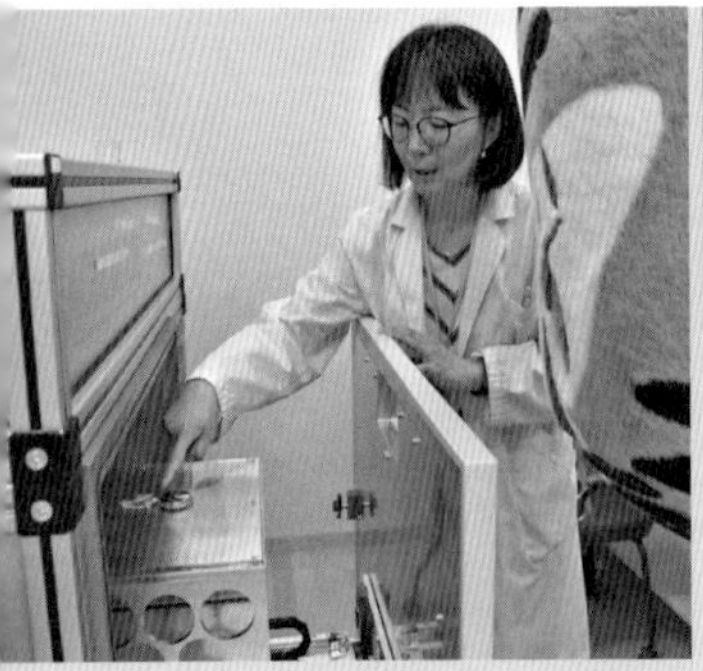

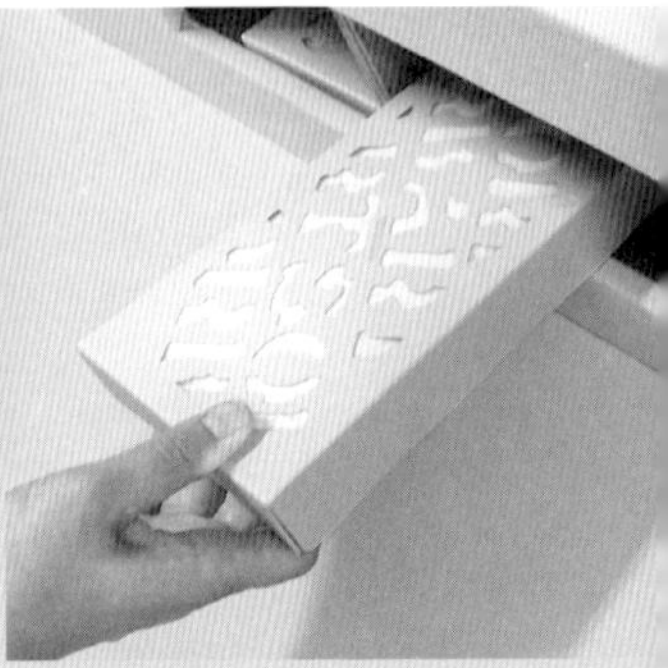

左／化学組成などを詳細に調査することも可能　中／温度や湿度などの環境を可能な限り整えるため環境測定用装置は必要
右／湿度を一定に保つために数量や置く場所を調整しながら調湿保存剤を置いていく

文化財を守り、受け継ぐために

降幡　博物館では科学調査を活用して、防災対策にも力を注《そそ》いでいるよ。

トラりん　防災？　どんなことだリン？

降幡　京都は特に古社寺が多いでしょう？　その中には絵画や仏像といった文化財を公開されているところも多い。保管環境や地震・火事などの災害が起こった際にどのようにして文化財を守るかということについて話を聞かせて頂いたり、対策を講《こう》じたりするの。

トラりん　ボクも聞きたいリン！

降幡　そうねえ、例えば、地震が起きた場合、文化財が倒れてしまって破損してしまうということもあり得る。そうしたことが起こらないように、文化財が倒れないようにするにはどうしたら良いかを考える。消防署から起震車《きしんしゃ》をお借りして、そこに文化財の模型なんかを置いて、倒れ方のシミュレーションをしたりするの。展示するものは頑丈なものばかりではないし、置いた時に安定しているものばかりでもないんだ。箱や平皿のようなものは安定感があって倒れにくいけれど、花瓶《かびん》のような縦長のものは倒れやすい。じゃあ、この倒れやすいものを安全に展示するにはどうしたら良いかを考えるの。

トラりん　何かで支えたら良いのかな？

降幡　そうだね。テグスっていう特殊な紐《ひも》状のものや支持具で固定したり、いまは免震台《めんしんだい》を使用したりするけれど、それらが使えない場合はどうしたらいいのかとか、より安定させられる方法がないかって調べているところなの。

トラりん　保存や修復も大切だけど、「未然《みぜん》に防ぐこと」も大切なんだね！

降幡　その通り。文化財を大切に守り、受け継ぐためには、治療も大切だけれども、それ以上に予防が大切なんだよね。人間もそうだけど手術をすることになったら体の負担が大きいでしょ？　そうした負担を文化財に与えないようにするために充分な保管環境を整えようと頑張っているの。トラりんもお手伝いしてくれると嬉しいな。

トラりん　文化財が健康な状態でずーっと受け継がれていくために、科学調査がとっても役立っていることがわかったリン！　文化財の修理も大切だけど、本当は修理の間隔をできるだけ長く空けた方が良いってボクも思うよ☆　京博ＰＲ大使として、科学分析の大切さをもっと伝えていきたいリン♪

最新の科学分析が文化財を守っているリン

トラりんの絵日記

10月9日（金）天気

降幡研究員には、科学分析について教えてもらったリン♪

2巻でも文化財修理のお話を聞かせてもらったけど、まだまだ大きな役割があったんだね！

小さな原因が大きな問題につながるかもしれない、ということをボクもしっかり考えていかなくちゃ！

文化財を守るために活やくする降幡研究員の姿は、とってもかっこよかったリン♪

研究員紹介

古谷 毅　ふるや たけし

考古室研究員。考古学を中心に國學院大學で学び、高校勤務の後、東京国立博物館・京都国立博物館で古墳時代の金属器・埴輪・文字資料や考古学史などを研究している。

主要著作に共編著『別冊太陽 古墳時代美術図鑑』（日本のこころ 246）、平凡社、2016 年）など。

井並 林太郎　いなみ りんたろう

企画室兼美術室研究員。専門は日本中世絵画史。同志社大学大学院文学研究科博士課程（後期）退学。2016 年より現職。絵巻・肖像画を担当。

主要著作に『流転一〇〇年 佐竹本三十六歌仙絵と王朝の美』（京都国立博物館、2019 年）など。

永島 明子　ながしま めいこ

教育室長兼工芸室勤務。専門は漆工芸史。国際基督教大学、ロンドン大学、京都大学で学ぶ。京都大学博士（人間・環境学）。1999 年より京都国立博物館勤務。2017 年より現職。

主要著作に『japan　蒔絵―宮殿を飾る　東洋の燦めき―』（読売新聞大阪本社、2008 年）、『百獣の楽園―美術にすむ動物たち―』（京都国立博物館、2011 年）、『遊び』（京都国立博物館、2013 年）など。

今回お話を聞かせて
くれた研究員たち☆
みんなありがとリン♪

降矢 哲男《ふりや てつお》

調査・国際連携室兼工芸室主任研究員。専門は陶磁史、中世考古学、日本文化史。九州大学大学院人文科学府博士後期課程単位取得退学。茶道資料館などを経て、現職。

主要著作に『中国朝鮮の陶磁器』（淡交社、2018年）、編集図録に『京都国立博物館開館120周年記念特別展覧会　国宝』（京都国立博物館、2017年）、『美麗を極める中国陶磁』（京都国立博物館、2018年）など。

山川 曉《やまかわ あき》

企画室長兼工芸室長。専門は日本および東洋の染織史。お茶の水女子大学、神戸大学で学ぶ。博士（人文科学）。徳川美術館学芸員を経て、2001年から京都国立博物館染織担当研究員として勤務。2018年より現職。

主要著作に『高僧と袈裟　ころもを伝えこころを繋ぐ』（京都国立博物館、2010年。第23回国華賞受賞）、『中近世染織品の基礎的研究』（中央公論美術出版、2015年）など。

降幡 順子《ふりはた じゅんこ》

保存科学室長。専門は文化財科学。京都大学大学院人間・環境学研究科博士後期課程研究指導認定退学。博士（学術）。奈良文化財研究所埋蔵文化センター保存修復科学研究室、同都城発掘調査部（飛鳥・藤原地区）を経て、2017年より現職。

主要著作に共著『弥生人の彩エンス』（分担執筆、出雲弥生の森博物館、2010年）、『伊豆山神社の歴史と美術』（分担執筆、奈良国立博物館、2016年）、「藤原京出土ガラス坩堝の化学的特徴」（奈良文化財研究所紀要、2016年）など。

トラりんと学ぶ日本の美術③

暮らしの意匠

令和2年10月25日 初版発行

監　修　京都国立博物館
発行者　納屋嘉人
発行所　株式会社 淡交社
本社　〒603-8588 京都市北区堀川通鞍馬口上ル
営業(075)432-5151
編集(075)432-5161
支社　〒162-0061 東京都新宿区市谷柳町39-1
営業(03)5269-7941
編集(03)5269-1691
www.tankosha.co.jp

印刷・製本　株式会社ムーブ

ISBN978-4-473-04363-4